Te... a... Debyg?

Delyth George

Gomer

Cyhoeddwyd gyntaf yn 2012 gan
Wasg Gomer, Llandysul, Ceredigion, SA44 4JL
www.gomer.co.uk

ISBN 978 1 84851 476 8

Dymuna'r cyhoeddwyr gydnabod cymorth
Cyngor Llyfrau Cymru.

Argraffwyd a rhwymwyd yng Nghymru gan
Wasg Gomer, Llandysul, Ceredigion.

Diolchiadau

Dymuna'r awdur ddiolch i Llenyddiaeth Cymru am ddyfarnu Ysgoloriaeth i Awduron iddi er mwyn dechrau ar y nofel hon.

Diolch hefyd i Anwen Huws am ddarllen a mynegi barn gadarn.

A diolch yn arbennig i staff Gomer am eu brwdfrydedd a'u gofal wrth lywio'r gyfrol drwy'r wasg.

Ym mwstwr y gwynt y mae straen ac nid ystŵr;
A rhyndod nad yw o'r byd hwn yn oeri'r dŵr.

T. H. Parry-Williams

1

*Roedd e'n mogi, yn methu anadlu, fel pe bai rhyw
leidr yn cipio'r aer cyn iddo gael cyfle i'w anadlu.
Roedd e'n tagu a phesychu, yn troi ac yn trosi, yn
graddol golli'r frwydr ac yn llithro i ryw nos ddu oedd
yn ei amgylchynu.*

Agorodd Owain ei lygaid yn sydyn. Roedd ei anadl yn
fas a'i galon yn curo fel drwm yn ei frest. Gwthiodd ei
ddyrnau'n galed i'r fatras oddi tano a'i godi ei hun yn
uwch yn ei wely. O'r diwedd, roedd e'n dechrau
anadlu'n ddyfnach ac yn esmwythach, ei lygaid yn
cynefino â'r lled-dywyllwch o'i gwmpas. Yng ngolau
gwan y lleuad a lifai o dan odrau'r llenni, gwelai siâp y
stafell wely ac amlinelliad y celfi oedd ynddi. Ond gan
fod y golau mor wan roedd hi'n anodd dweud beth oedd
yn gwpwrdd neu'n fwrdd, a beth oedd yn gysgod ar wal,
yn ddim byd ond rhith, yn rhywbeth nad oedd yn bod.

Ym mhle ddiawl oedd e?

Yna cofiodd. Roedd yn ei gartref newydd yng
Nghaerdydd. Na, roedd mewn hen dŷ oedd i fod yn
gartref newydd iddo fe a'r teulu mewn dinas oedd yn
gymharol ddieithr iddo.

Roedd hi'n fore llwydaidd a llaith pan ddechreuon nhw ar eu taith o Gwm Gwendraeth i'r ddinas fawr, a chyn hir roedd e wedi dechrau pendwmpian yng nghefn y Range Rover wrth i'w dad yrru ar hyd yr M4. Yna dihunodd yn sydyn pan ddaeth y cerbyd i stop ar heol ddeiliog y tu allan i rif 45 Gerddi Plasturton.

Rhwbiodd ei lygaid ac edrych ar dŷ trillawr tal a safai ar ben rhes o dai tebyg. Yr unig beth a wnâi i'r tŷ hwn edrych ychydig yn wahanol i'r gweddill oedd y ffaith ei fod yn fwy diraen yr olwg, ei gafnau wedi camu a breuo dan bwysau hen faw a glaw oedd wedi goferu drostyn nhw ac erydu'r garreg galch ar flaen y tŷ. Roedd fframiau'r ffenestri wedi dechrau pydru hefyd, a lliw'r paent wedi pylu, gan godi'n swigod mân a chwalu'n llwch mewn mannau. Heb os, roedd golwg druenus ar yr hen dŷ wrth iddo aros yn betrus am sŵn allwedd yn cael ei throi yn nhwll y clo unwaith yn rhagor.

''Ma ni, bois!' meddai ei dad, gŵr tal â gwallt tywyll, a rhyw dinc gochelgar braidd yn ei lais, wrth lygadu'r tŷ a fyddai'n gartref newydd i'r teulu o bedwar.

'Bach mwy o frwdfrydedd plîs, Penri!' mynnodd ei fam, yn llawn cyffro o'r sedd flaen.

Ar sedd ôl y Range Rover eisteddai Megan, chwaer bedair ar ddeg mlwydd oed Owain. Trodd hithau'n araf â gwg ar ei hwyneb, i rythu ar y tŷ, cyn tynnu ei chlustffonau o'i chlustiau'n go glou.

'Hwnna! Ni'n mynd i fyw yn hwnna? Plîs, gwedwch bo chi'n jocan!' mynnodd, gan blethu ei breichiau'n amddiffynnol o'i blaen.

Taflodd Alys gip amheus i gyfeiriad Penri – cip a

awgrymai ei bod wedi rhag-weld trwbwl ond nad oedd yn barod i adael iddo bylu ei brwdfrydedd am eiliad, chwaith.

'Fe ballest ti ddod 'da ni i whilo am dŷ yn yr haf, wedyn gad dy gonan!' mynnodd Alys.

'Chi ddim yn gall . . . neb ohonoch chi,' meddai Megan. 'Owi, beth ti'n weud?' holodd, ei llais yn erfyn yn daer am gefnogaeth.

Y cyfan lwyddodd e i'w wneud oedd codi ei ysgwyddau'n llipa braidd. Disgynnodd wyneb Megan.

'Ti'n pathetic!' meddai. 'Be sy'n bod ar bawb?' mynnodd, cyn gwthio'i chlustffonau'n ôl i'w chlustiau. Tynnodd Owain ei got yn dynnach fel arfwisg amdano gan osgoi llygaid ei chwaer.

'Reit, Penri, ble ma'r allweddi?' clywodd ei fam yn holi'n benderfynol, gan ddal ei llaw o'i flaen.

'Le ma' nhw, gwed?' meddai hwnnw, gan ddechrau chwilota'n hamddenol ym mhocedi ei got, ac wedyn ym mhocedi ei drowsus, gan ryw ddechrau lled-wenu yr un pryd.

'Gad dy whare a dere!' meddai Alys wedyn, cyn bachu'r allweddi a chamu i'r stryd ar frys, gan ei bod ar dân i agor drws eu cartref a'u dechrau newydd.

Clywodd ei dad yn ochneidio'n flinedig yn y sedd flaen, cyn iddo droi ei lygaid yn reddfol warchodol at y sedd gefn. Estynnodd Owain am fwlyn y drws, tra oedodd llygaid ei dad ar Megan, oedd yn gwgu dros Gymru erbyn hynny.

'O's well 'da ti aros fan hyn, am y tro?' gofynnodd.

Tynnodd Megan ei clustffonau o'i chlustiau, yn

amlwg heb glywed gair o'r hyn ddywedodd ei thad. Ailadroddodd yntau'r cwestiwn yn bwyllog, amyneddgar. Ysgydwodd hi ei phen yn ddiamynedd cyn dringo i lawr o'r Range Rover a mynd am y tŷ. Anelodd y tri am y llwybr deiliog, llithrig a oedd yn arwain at y tŷ drwy ardd ffrynt oedd yn llawn drain a choed wedi gordyfu a melynu a phydru'n ôl i'r pridd. Daeth drewdod pydredd a phridd gwlyb i'w ffroenau. Ar y rhiniog roedd golygfa oedd yn ddigon i droi ar rywun: llwybr llysnafeddog trwchus oedd yn igam-ogamu at ddrws y tŷ.

'Ych!' ebychodd Megan cyn codi ei llaw at ei cheg, rhag ofn iddi chwydu ei diflastod o flaen pawb.

'Jobyn bach i *ti*,' meddai Alys, yn orawchus, braidd, gan droi at Penri.

Roedd rhyw fin dialgar wedi llithro i'w llais a hynny'n annisgwyl, gan ei bod hi o'r diwedd wedi cael ei dymuniad i gefnu ar y Cwm a symud i Gaerdydd, er mwyn iddyn nhw i gyd gael dechrau newydd fel teulu. Yna, roedd hi fel pe bai wedi difaru ar ei hunion, a'i llais wedi meddalu.

'Y mortis sy'n sdiff,' parablodd, ar ôl straffaglu â'r clo am ryw ychydig. 'Angen olew, 'na i gyd . . .' meddai, gan ymdrechu i swnio mor frwd ag erioed ynglŷn â'r fenter newydd.

O'r diwedd, agorodd y drws â gwich rwgnachlyd ar gyntedd hir, llwyd-dywyll. Camodd y pedwar i adeilad oedd yn debycach i dwnnel nag i dŷ, o'i gymharu â'r cartref golau, sgwâr, modern, roedden nhw wedi cefnu arno ryw awr yn ôl yn y Cwm.

'Ych . . . ma' fe'n drewi!' meddai Megan, cyn dechrau anadlu drwy lawes ei chot. '*A* ma' fe'n rhewi!' cwynodd, gan blethu ei breichiau'n dynn amdani, a'i llais yn dal i atsain drwy'r tŷ gwag.

Yn sicr, roedd tymheredd y tŷ fel pe bai'n is na thymheredd y stryd y tu allan. Culhaodd llygaid Owain wrth iddo geisio cynefino â'r golau gwan a'r awyrgylch digroeso. Ond cyn iddo fentro gair o gefnogaeth i Megan, roedd ei fam yn gwneud ei gorau i dagu'r gwrthryfel cyn iddo gael cyfle i ffrwydro.

'Gad dy seians!' gorchmynnodd yn siarp. ''Na i gyd sy ishe yw agor ffenest a chynne'r gwres!' meddai wedyn, gan ymbalfalu am switsh y golau ar y wal a'i wasgu. Cyneuodd y bwlb, cyn diffodd ar unwaith. Damiodd dan ei hanadl.

'Grêt! 'Ma beth *yw* croeso!' corddodd Megan wedyn.

Ond anwybyddu ei geiriau wnaeth ei mam. Roedd Owain yn teimlo dros Megan.

''Ma ni'r stafell ore!' meddai ei fam wedyn yr un mor frwd â chynt, gan gamu i'r stafell flaen.

'Licen i'm gweld y gwaetha,' cwynodd Megan, ar ôl sylwi ar y baw a'r gwe corryn yng nghonglau'r ffenest fwa fawr a wynebai'r stryd.

Fflachio rhybudd arni â'i llygaid wnaeth Alys cyn hoelio'i sylw ar y grat farmor fawr ar y wal. 'Shgwlwch ar honna!' meddai'n llawn cyffro.

'Ma' hi'n un wreiddiol, ac ma'r teils 'na'n hen!' ychwanegodd Penri, oedd o'r diwedd yn dechrau swnio fel yr arwerthwr tai brwd ag oedd e.

'Mae'n amlwg bo nhw'n hen,' meddai Megan. 'Ma'

nhw wedi whalu ac wedi craco. Ti'n trio gweud bod 'na'n beth da?' holodd yn anghrediniol wrth droi i edrych ar ei thad.

'Ma' hen bethe werth 'u cadw. Ma' nhw werth arian,' meddai.

'A ma' hwnna'n hen 'fyd!' ychwanegodd ei mam yn gyffrous wrth dynnu sylw at y siandelïer mawr uwch eu pen, a mynd ar ei hunion i wasgu switsh y golau. Ond siom gafodd hi.

'Ma'r llawr 'di ffiwso!' ebychodd Penri.

'Y tŷ i gyd, falle!' meddai Megan yn orfoleddus.

'Megan, plîs! Pan ffindwn ni'r *trip switch* fydd popeth yn iawn,' mynnodd ei mam, cyn gorchymyn i bawb ddod i'r gegin ganol yng nghefn y tŷ.

Cafodd Owain ei hun yn dilyn yn ufudd, er ei fod yn teimlo'r un mor anesmwyth â'i chwaer. Y gwahaniaeth oedd ei fod e'n cael trafferth i leisio'i deimladau am ei fod wedi mynd i'r arfer o'u llethu cyhyd. Hwyaf i gyd yr arhosai yn y gegin, cryfaf i gyd y teimlai ryw awyrgylch rhyfedd yn cau amdano. Doedd ei dad, yn amlwg, ddim yn teimlo'r un peth, gan ei fod yn rhedeg ei fysedd hyd bentan y grat ddu ar ganol y wal bellaf yn fodlon braf ac yn dweud mor hardd a chartrefol yr olwg oedd hi. Yna'n sydyn, roedd dicter Megan wedi cyrraedd rhyw benllanw na allai ei fygu na'i reoli bellach.

'Cartrefol!' meddai, gan godi ei llais. 'Ma'r stafell 'ma'n o'r ac yn dywyll . . . Ac ma' hi'n teimlo'n od!' mynnodd.

Gwyddai Owain yn union beth roedd hi'n ceisio'i

ddweud. Roedd y trymder a deimlai bellach bron â'i lethu, ond ar yr un pryd, roedd e'n dechrau crynu gan oerfel. Sut yn y byd y gallai stafell fod yn drymaidd ac yn oer ar yr un pryd? Doedd y peth ddim yn gwneud synnwyr. Doedd dim byd o gwbl yn gwneud synnwyr yr eiliad honno. Roedd hi'n sefyllfa swreal. Y nhw fel teulu ar fin symud i'r tŷ mwyaf digroeso a welsai erioed. Sut yn y byd y gallen nhw ymgartrefu yn y fan hon? Trodd Owain a Megan i edrych i fyw llygaid ei gilydd am y tro cyntaf y bore hwnnw. Ond cyn i'r naill na'r llall gael cyfle i ddweud gair, treiddiodd llais eu mam o'r gegin fach yn y cefn.

'Diawled! . . . Moch!' gwaeddai.

Rhuthrodd Penri i gyfeiriad y llais. Dilynodd Owain a Megan i weld beth oedd y cynnwrf mawr. Yn y gegin, dim ond rhyw ddyrnaid o gypyrddau ac unedau oedd wedi'u gadael ar ôl gan y trigolion blaenorol, ac roedd amryw o'r rheini'n cwympo'n ddarnau, ac ôl briwsion a staeniau'n drwch drostyn nhw.

'Wy'n synnu bod dim llygod 'ma,' meddai Megan, ac am unwaith, wnaeth Alys ddim anghytuno. Rhoddodd hynny'r hyder i Megan fentro ymhellach. 'Pam yn y byd nethoch chi brynu'r twll lle 'ma?' holodd. 'Pam o'dd raid i ni ddod 'ma? Beth 'yn ni'n neud 'ma?' mynnodd, â'i llais yn codi i lefel a holltai'r tawelwch fel cyllell drwy fenyn.

'Ti'n *gwbod* bod angen dechre newydd arnan ni i gyd!' atebodd Alys drwy ei dannedd. Roedd ei llais yn oer a'i geiriau'n cael eu gwasgu'n greulon o'i genau, fel past dannedd o hen diwb. Roedd dicter amlwg yn ffrydio ohoni hi hefyd erbyn hyn ac roedd yr oerfel yn amlwg wedi dechrau meddiannu ei chorff.

'Ddim arna i . . . Beth *wy* wedi'i neud?' crefodd Megan, ei llygaid yn gwibio o un aelod o'i theulu i'r llall. 'Dyw beth wy'n moyn ddim yn cyfri o gwbwl!' plediodd.

''Na ddigon!' gwaeddodd Alys, ei llais wedi codi'n sgrech, bron.

'*Fi* sy wedi ca'l digon,' sgrechiodd Megan yn ôl. 'Digon ar ga'l 'yn anwybyddu, a'n llusgo i dwll dieithr 'da teulu sy 'di neud dim byd ond cwmpo mas ers misho'dd. Wy'n moyn mynd ga'tre. Nawr!' mynnodd.

'Hwn *yw* dy ga'tre di!' atebodd Alys, ei llais yn galetach ac yn oerach na chynt.

'Wy'n moyn mynd 'nôl i fyw 'da Mam-gu!' plediodd Megan, yn wan a chwynfanllyd erbyn hyn, fel un oedd yn gwybod ei bod yn colli'r dydd.

'Ma'r teulu 'ma'n mynd i sefyll 'da'i gilydd, a 'na ddiwedd arni!' mynnodd Alys wedyn, ei llygaid yn poeri tân wrth syllu o'r naill i'r llall. Doedd dim rhagor o gwyno na dadlau i fod!

Roedd y tinc anghyfarwydd o filain yn llais ei mam yn ddigon i dawelu Megan am y tro. Un dacteg yn unig oedd ar ôl ganddi – troi pâr o lygaid ymbilgar, dagreuol ar ei thad. Roedd hwnnw'n gwingo o weld y boen yn llygaid Megan. Roedd e'n crafu am eiriau i leddfu'i phryder hi, a'i euogrwydd ei hun, am fethu ei hamddiffyn rhag hyn. 'Ti 'di arfer byw mewn tŷ newydd . . .' dechreuodd ddweud. 'Ond gewn ni hwn fel newydd hefyd . . . Fel palas bach . . . Palas . . .

Plas . . . turton . . .' meddai, mewn ymgais wan i ysgafnu'r sefyllfa a methu'n rhacs am yr eilwaith y bore hwnnw.

Gwyliodd Owain ei chwaer yn ysgwyd ei phen mewn anobaith. Roedd ei galon yn gwaedu drosti. Hi oedd yr unig un oedd heb gymhelliad o gwbl dros symud o'r Cwm i'r ddinas. Hi oedd yr unig un oedd wedi aberthu popeth, heb sicrwydd o elwa dim.

'Reit, dewch i'r llofft, i ddewish stafello'dd gwely,' gorchmynnodd Alys, gan arwain y ffordd o'r gegin, yn ffyddiog fod y gwrthryfel wedi'i dagu yn y bôn.

Brasgamodd wedyn yn benderfynol am y staer, ei hwyliau'n dduach na chynt, os oedd hynny'n bosibl, ac yn sicr yn dduach nag roedd Owain erioed yn eu cofio. Sylweddolodd yr eiliad honno fod perthynas pob un ohonyn nhw wedi newid yn llwyr, er na wyddai sut na pham na phryd yn union roedd y newid wedi digwydd. Ond gwyddai, serch hynny, wrth gerdded drwy galon dywyll y tŷ hirgul, ei fod yn newid di-droi'n-ôl. Roedd fel pe bai rhywun wedi dal chwyddwydr go gryf uwch eu pennau am eiliad nes chwyddo'r holl frychau mor fawr fel nad oedd modd eu hanwybyddu bellach, er mor galed roedd ei fam yn ymdrechu i anwybyddu neu drechu pob arwydd o'r chwalfa o'i chwmpas.

Yn y man, roedden nhw wedi cyrraedd y llawr cyntaf. Gorchmynnodd ei fam yn glinigol, oer ar i Megan symud i'r stafell ganol, y drws nesaf i'w stafell hi a Penri. Byddai wedi disgwyl iddi brotestio yn erbyn y papur wal melynaidd, blodeuog oedd wedi hen golli ei raen, ond wnaeth hi ddim. Roedd hi'n amlwg wedi colli pob awydd i ddadlau, fel pe bai pob owns o egni wedi'i sugno ohoni.

'Owain, cymer di'r stafell gefen,' awgrymodd ei fam ychydig yn dynerach.

Yn annisgwyl, ysgwyd ei ben yn ffyrnig wnaeth e, am ei fod wedi'i ddenu at yr ail lawr. Dechreuodd ddringo'r staer ar frys.

'Fydd hi'n oerach lan fan'na!' gwaeddodd Penri ar ei ôl, ond anwybyddodd rybudd ei dad ac ymateb syn ei fam.

Ar ben y staer camodd i stafell ac iddi nenfwd is. Ofnai y gallai fod yn llethol oherwydd ei maint a'i siâp. Ond yn annisgwyl, roedd hon yn ysgafnach. Dechreuodd Owain deimlo'n fwy diogel yn y fan hon. Hon oedd bellaf oddi wrth gegin ganol dywyll y tŷ, lle roedd anniddigrwydd ei fam a Megan wedi dwysáu, a lle roedd wedi synhwyro rhyw anobaith anghyffredin yn cau amdanyn nhw eu pedwar. Roedd y stafell hon hefyd yn ddigon pell oddi wrth stafelloedd ei rieni a Megan. Yma, roedd gobaith iddo gael llonydd i feddwl ac i ddod i delerau â'r haf anodd oedd wedi mynd heibio.

'Hon wyt ti'n moyn?' holodd ei fam yn syn, ar ôl dringo'r staer ar ei ôl, a'i wylio'n edrych drwy'r ffenest fach ar barc destlus â rheilings o'i amgylch oedd wedi'i wasgu rhwng dwy stryd.

Nodiodd Owain ei ben mor bendant nes yr ildiodd ei fam yn ddirwgnach. Yn y pellter clywai ei dad yn gofyn a oedd gobaith mynd am ddishgled i dwymo cyn i'r fan gludo gyrraedd. Yna'n sydyn, sylweddolodd Owain mor oer oedd y stafell hon hefyd. Roedd hi fel pe bai wedi chwarae tric arno'n gynharach, wedi'i dwyllo ei bod hi'n fwynach ac yn gynhesach nag oedd hi mewn gwirionedd.

'Owain, siapa hi!' gwaeddodd ei fam oedd bellach ar waelod y staer.

Agorodd ei geg i geisio'i hateb, ond roedd ei dafod wedi glynu wrth daflod ei geg, a'i draed fel pe baen nhw wedi'u gludo wrth yr estyll oddi tano. Roedd y stafell fel pe bai yn ei hawlio drwy ei hoelio yn ei unfan. Ai y fe oedd wedi'i dewis hi wedi'r cwbl, neu ai hi oedd wedi'i ddewis e?

'Owain!' gwaeddodd ei fam yn uwch.

O'r diwedd, â holl rym ei ewyllys, llwyddodd i godi ei draed a symud ychydig gamau. Ysgydwodd ei ben mewn penbleth. Rhaid bod yr oerni wedi dechrau chwarae â'i feddwl. Y cyfan roedd arno'i angen oedd mygaid o siocled poeth melys i adfer ei egni a'i bwyll ac fe fyddai popeth yn iawn. Brasgamodd i lawr y staer bren, nes bod sŵn traed y teulu cyfan yn atsain drwy'r tŷ gwag ac yn ei ddihuno drwyddo.

2

Symudodd Owain ei law'n reddfol at ei gorn gwddwg ar y drydedd noson yn olynol iddo ddihuno yn yr oriau mân. Unwaith eto teimlai ei wddf yn boenus o dynn. Ond doedd dim byd yn gwasgu ar ei wddf nac yn pwyso arno, felly pam roedd e'n teimlo'r fath dyndra? Gallai daeru mai fel'na y teimlai rhywun oedd bron â chael ei ddagu gan rywun neu rywbeth. Ond doedd neb yn y stafell, hyd y gwelai. Oni bai, wrth gwrs, fod rhywun yn llechu yn y cysgodion. Er mor annhebygol oedd hynny, estynnodd am switsh y lamp yn ymyl ei wely, rhag ofn, er mwyn gweld yn gliriach.

Diflannodd y cysgodion ar unwaith wrth i'r golau llachar lenwi'r stafell. Edrychodd yn fanylach ar y muriau o'i gwmpas a gweld eu bod yn drwch o hen blastar anwastad oedd wedi torri'n swigod mewn ambell fan. Sylwodd hefyd gymaint roedd y to'n gwyro i lawr. Ai dyna oedd yn gwneud iddo deimlo mor glostroffobig nes ei fod bron yn methu anadlu yn ei gwsg? Ond roedd e'n gallu anadlu'n iawn ac yntau'n effro, felly nid rhyw fogfa gyffredin oedd wedi'i ysgwyd a'i ddihuno.

Sylweddolodd yn sydyn fod y chwys oedd wedi tasgu o'i gorff yn gynharach, wedi oeri fel clai. Ac roedd e'n crynu drwyddo. Gwthiodd gwilt ei wely oddi arno a phlannu ei ddwy droed ar estyll pren y llawr, dim ond i'w codi'n sydyn eto wrth i gryd arall saethu drwyddo. Doedd dim dianc rhag yr oerni oedd yn dal i dreiddio drwy ei gorff. Ymbalfalodd am ei dreinyrs o dan y gwely a gwthio'i draed iddyn nhw'n frysiog cyn bachu ei ŵn llofft oddi ar gadair gyfagos. Yna cerddodd at yr unig reiddiadur oedd yn y stafell ac estyn ei law i'w gyffwrdd. Fel roedd wedi disgwyl, roedd yn rhewllyd o oer. Tynnodd ei ŵn llofft yn dynnach amdano, ond wrth i'w fysedd gordeddu am y cortyn tenau a glymai am ei ganol, saethodd pigiadau llosg i gonglau ei lygaid. Roedden nhw'n bygwth troi'n ddagrau, ond aros yn bigiadau wnaethon nhw, er gwaetha'r don o flinder oedd newydd lifo drosto. Roedd e'n gyfarwydd â'r blinder. Dyna'r teimlad a gâi o hyd yn dilyn yr hunllef orgyfarwydd oedd wedi'i erlid ers wythnosau. Ond roedd yr hunllefau wedi bod yn greulonach ac yn ddwysach ers iddo symud i'r stafell fach â'r waliau anwastad. Hon oedd ei hafan i fod, ond bellach roedd hi'n bopeth ond hafan ddiogel. Tynnodd yn galed ar gortyn ei ŵn llofft a'i glymu'n gwlwm tyn, cyn brasgamu dros yr estyll oer, o afael y stafell fach gyfyng a dig, oedd wedi troi arno mor ffyrnig.

*

Dihunodd Alys. Gallai daeru iddi glywed sŵn traed ar y staer yn tewi yn y pellter. Yn ei hymyl roedd Penri'n cysgu'n drwm, ei anadl yn esmwyth a'i gorff heb symud gewyn. Y hi oedd yr un a gysgai ysgafnaf, fel pluen o ysgafn, byth ers i'r plant gael eu geni. Roedd wedi hen arfer â chlustfeinio am unrhyw arwydd o salwch neu broblem a allai daro Owain neu Megan ganol y nos. Heno, gwyddai fod un o'r ddau wedi codi, nid er mwyn mynd i'r stafell molchi, ond wedi codi a cherdded i lawr y staer ac ar hyd teils caled y cyntedd.

Daeth o hyd i Owain yn y gegin yn aros i'r tegell ferwi.

'Ffaelu cysgu?' holodd.

'Na, gysges i . . . am sbel . . .' meddai, gan droi i'w hwynebu.

Sylwodd ar y pantiau duon dan ei lygaid, oedd yn ddyfnach hyd yn oed nag arfer.

'Ma'r tŷ'n dala'n ddierth. A ti siŵr o fod yn becso am fory . . .'

Fory fe fyddai'n dechrau mewn ysgol newydd, ond nid yr ysgol oedd ar feddwl Owain.

'Wy 'di bod yn meddwl am Eleri . . .' meddai, gan dewi'n sydyn wrth glywed arlliw o gryndod yn ei lais a chywilyddio o'r herwydd.

Tynhaodd corff Alys o glywed ei henw. Roedd yr enw, Eleri, wedi tyfu i fod fel cnul yn ei chlustiau ers misoedd. Cariad cyntaf Owain oedd Eleri; yr un gyntaf i Alys orfod ei rannu â hi.

'Ma' rhaid i ti drio anghofio . . . Symud mlân,' meddai Alys, mor bwyllog ag y gallai.

'Beth? Esgus bod hi rio'd wedi bodoli? Anghofio popeth am beth ddigwyddodd? Alla i ddim anghofio. Sa i'n *moyn* anghofio!' atebodd Owain ar ei gyfer, ei eiriau a fu mor brin yn ddiweddar yn llifo'n rhydd o'r diwedd a'i lais yn codi.

'Owain, plîs . . . paid neud hyn!' plediodd hithau.

Ond golchi drosto'n ddiystyr a wnâi ei geiriau, fel pe bai prin yn eu clywed.

'Ma' rhwbeth wy heb 'weud 'thot ti,' meddai Owain, cyn oedi wedyn, heb fod yn hollol siŵr a oedd e'n barod i rannu'r gyfrinach y bu'n ei chadw rhagddi cyhyd. Roedd ei fam fel pe bai wedi peidio ag anadlu yn ystod yr eiliadau y bu'n aros i glywed beth oedd y gyfrinach fawr. ''Y mai *i* o'dd e bo ni 'di cwpla. Fues i ddim yn deg â hi!'

Arhosodd am y sut-pam-beth, y llu cwestiynau roedd e'n disgwyl i'w fam eu gofyn. Ond y cyfan a wnaeth hi oedd ei wylio'n betrus, fel pe bai'n ofni beth roedd am ei ddweud nesaf. ''Nes i 'i siomi hi,' meddai. 'A 'sen i heb neud 'na . . !' tagodd ar ei eiriau.

'Plîs, Owain, paid!' mynnodd, gan gamu tuag ato a gafael yn gadarn yn ei ysgwyddau, ei llais yn codi ac yn cystadlu â sgrech uchel y tegell oedd yn atsain drwy'r gegin. 'Ma' rhaid i ti beidio beio dy hunan am beth ddigwyddodd i Eleri! Sa i'n moyn clywed hyn 'to, sa i'n moyn trafod hyn 'to,' crefodd, â'i bysedd yn tyllu i gnawd ei ysgwyddau nes ei fod yn gwingo mewn poen. 'O'ch chi'n ifanc . . . yn rhy ifanc . . .' cloffodd, wrth i'w llais wanhau.

'Mam, ti'n neud lo's i fi!' protestiodd Owain, er bod y boen yn ei ysgwydd wedi rhoi rhyw fath o ollyngdod i'r boen a deimlai y tu mewn iddo.

Llaciodd Alys ei gafael ar unwaith a chamodd Owain yn ôl oddi wrthi, fel pe bai arno'i hofn.

'Sori! . . . Sori,' meddai Alys, wedi synnu at ei chryfder ei hun. 'O't ti'n rhy ifanc i ga'l dy glwmu wrthi!' mynnodd wedyn, ei llais yn caledu eto, ond ei llygaid yn ddisglair.

'Paid siarad amdani fel 'se hi ddim digon da . . !' atebodd Owain.

'Ddim 'na beth o'n i'n feddwl!' torrodd Alys ar ei draws. 'Sori!' meddai wedyn, a'i llais yn ddistawach.

Sori arall eto. Pa ddiben roedd dweud sori? meddyliodd Owain. Doedd e'n datrys dim. Doedd ei sori e wrth Eleri ddim wedi gwneud unrhyw les o gwbl.

'Anghofia'r te,' meddai wrth ei fam yn swta, pan aeth yn nes at y tegell. Trodd Owain ei gefn arni er mwyn dychwelyd i'r llofft, gan adael Alys fel delw o syfrdan.

Pan gyrhaeddodd Owain ei stafell, caeodd y drws yn dynn ar ei ôl a gadael i'r llonyddwch oer gau fel amdo amdano. Yn fuan, sylweddolodd ei fod yn crynu unwaith eto, ond nid yn unig gan oerni. Teimlai ryw gynddaredd yn ei gorddi. Doedd e erioed wedi bod yn un i ddangos ei ddannedd, yn enwedig i'w fam. Ond roedd rhywbeth wedi newid. Roedd fel pe bai yna dennyn wedi torri a rhyw adyn dieithr wedi'i ryddhau.

3

'Pob lwc 'te!' meddai Penri'n frysiog, wrth ollwng Megan ac Owain y tu fas i gât Ysgol y Pant.

Roedd hi'n fore gwlyb a llwyd unwaith eto, heb lygedyn o awyr las i'w weld yn unman. Eisteddai Penri wrth lyw ei Range Rover yn ei got Barber, ei fysedd yn tapio'n ddiamynedd ar yr olwyn o'i flaen, gan roi'r argraff ei fod yn ysu am fynd i'w waith yn ei swyddfa newydd ar Heol y Bontfaen. Ond roedd Megan yn amau'n wahanol. Gwyddai mor gyfarwydd roedd ei thad â gwisgo gwên yr arwerthwr, sut bynnag roedd e'n teimlo – fel gwisgo sent am ben baw, fel y dywedai ei mam-gu. Gwên wneud roedd e'n ei gwisgo heddiw'n ddi-os, gwên wedi'i gorfodi. Yn union fel roedd wedi'i orfodi i godi ei bac a chael swydd yng Nghaerdydd. Yr eiliad honno roedd e'n gwthio'r un orfodaeth arni hi ac ar Owain – y rheidrwydd hwnnw i wneud y gorau ohoni, gan wenu ac esgus fod popeth yn iawn.

'Cofiwch fynd i'r dderbynfa'n syth!' meddai dros ei ysgwydd yn siarp, cyn newid gêr yn rhy gyflym braidd, nes i'r cerbyd brotestio'n chwyrn. 'A chofiwch ddala'r bws heno!' gwaeddodd drwy'r ffenest wrth yrru'r Range Rover drwy bwll o ddŵr brown.

'Grêt!' meddai Megan rhwng ei dannedd, wrth deimlo cawod fwdlyd yn gwylchu ei sanau golau. 'Diolch yn dwlpe, Dad!'

*

Syllodd Owain o gwmpas stafell gyffredin y blynyddoedd hŷn.

'Fyddi di'n ocê nawr?' holodd Aled, y prif fachgen, wrth estyn ei fag. 'Ma 'da fi wers. Ond alla i dy gyflwyno di'n glou i . . ?' dechreuodd ddweud, gan bwyntio at griw o fechgyn oedd yn siarad yn y gornel.

'Na, fydda i'n iawn . . . diolch!' torrodd Owain ar ei draws, yn ysu am gael ychydig funudau ar ei ben ei hunan ar ôl bore o gyfarfod â chynifer o wynebau newydd.

Wedi i Aled ei adael, crwydrodd llygaid Owain yn araf o amgylch y stafell, gan sylwi ar wahanol grwpiau – rhai'n siarad, rhai'n darllen, ac eraill yn gwrando drwy glustffonau. Yn wahanol i ddisgyblion ei hen ysgol, roedd amryw o'r rhain â'u gwreiddiau ymhell y tu hwnt i ffin Cymru, Prydain a hyd yn oed Ewrop. Rhoddai'r cyfan naws gosmopolitan, gyffrous i'r stafell.

Sylweddolodd Owain fod rhai o'r disgyblion wedi bod yn ei wylio fe, hefyd, y creadur ddiweddaraf i lanio yn eu plith, a hynny ar ganol tymor! Roedd ambell ferch wedi gwenu'n gynnil arno, ac wedyn ar ei ffrindiau; roedd ei bresenoldeb, yn amlwg, yn destun siarad. Daliodd lygad un ferch brydgolau yn arbennig. Gwenodd arno'n llydan cyn cerdded yn hyderus tuag ato.

'Haia! Ti'n *OK*?' holodd, gan bwyso'n drymach ar un goes nag ar y llall, a throi ei hwyneb i fyny tuag ato. Roedd hi ryw dair neu bedair modfedd yn fyrrach nag e.

'Iawn,' atebodd Owain, yn ei deimlo'i hun yn cael ei lygad-dynnu ganddi, er gwaetha'i awydd eiliadau ynghynt i gael ychydig o lonydd rhag y môr o wynebau dieithr.

'Tracy,' meddai wedyn, gan wenu'n ddireidus.

'Owain,' atebodd yn ôl, heb ymhelaethu dim.

'Neis cwrdd â ti,' meddai. 'O ble ti 'di symud?' holodd Tracy, pan sylweddolodd fod Owain braidd yn dawel.

'Cross Hands.'

'A ble ti'n byw nawr?' holodd wedyn, ymhen eiliad neu ddwy.

'Pontcanna.'

'Ble yn Pontcanna?' gofynnodd Tracy wedyn gan wenu, wrth ddechrau sylweddoli fod y sgwrs yn prysur droi'n sesiwn holi ac ateb.

Gwenodd Owain yn ôl arni yn hytrach na'i hateb ar ei union.

'Sori. Ydw i'n busnesu?' holodd Tracy, ei llygaid yn disgleirio'n fwy direidus na chynt, hyd yn oed. Roedd hi'n hoff o sialens, ac roedd hi'n amau mai dyna'n union fyddai Owain. 'Fi'n nabod rhywun sy'n byw 'na,' meddai, yn benderfynol o dynnu sgwrs.

'Gerddi Plasturton,' atebodd Owain o'r diwedd.

Gwenodd Tracy.

'*Never!* Hen anti fi'n byw yn yr Avenue . . . Fi'n dwlu

27

ar Anti Nancy, er bod hi'n boncyrs. Fi'n mynd i weld hi'n aml. Sdim plant 'da hi, na *nephews* na *nieces*. Dim ond fi . . . Yn rhif 61 ma' *hi*'n byw . . .' meddai Tracy, gan oedi'n ddisgwylgar. 'Ble ti'n byw . . ?' holodd ymhellach, gan nad oedd Owain wedi ateb ei chwestiwn. Y tro hwn, sylweddolodd nad oedd Owain yn gwenu. Doedd e ddim chwaith fel pe bai'n edrych arni. Yn hytrach, roedd fel pe bai'n edrych drwyddi. *'OK, forget it!* Dim ond bod yn boléit o'n i!' meddai Tracy'n swta cyn troi ar ei sawdl.

'Sori . . . gwers . . !' mwmiodd Owain, gan sylweddoli ei fod wedi ymddwyn yn od ac anghwrtais, a dweud y lleiaf. Bachodd ei fag o gadair gyfagos a dianc am y drws ar frys. Synhwyrai fod Tracy'n dal i edrych yn syn ar ei ôl ac yn ysgwyd ei phen yn ddiddeall.

Gadawodd Owain i'r drws gau'n swnllyd y tu ôl iddo. Pwysodd yn erbyn wal gyfagos yn y coridor tu fas, ei galon yn curo'n galed yn ei frest. Nid wyneb Tracy roedd e'n ei weld o flaen ei lygaid, ond wyneb Eleri . . . Cofiodd y tro olaf iddo siarad â hi . . . Roedd hi wedi gofyn am sgwrs, rhyw ddeufis ar ôl i bob cyswllt rhyngddyn nhw ddod i ben yn sydyn; roedd e mor falch o'r cyfle i gymodi wedi'r ffrae. Fe ddywedodd wrtho nad oedd hi'n ei feio am ddim byd, a'i bod yn bwysig ei fod e'n gwybod hynny. Roedd wedi gwenu arno'n gynnes hefyd.

'Wela i di fory,' meddai wrthi'n sionc, yn weddol ffyddiog y byddai pethau'n ôl fel roedden nhw'n arfer bod. Fel roedden nhw cyn iddo fod yn ffŵl dwl . . .

Roedd Eleri wedi rhyw hanner nodio'i phen a gwenu arno eto. Gwên oedd yn fwy anodd ei dehongli, yn enwedig yng ngoleuni'r hyn ddigwyddodd wedyn. Oherwydd fuodd yna ddim fory . . . ddim i Eleri beth bynnag.

4

Am weddill y dydd roedd Owain wedi trio'i orau i glirio'i feddwl ac anghofio am y profiad rhyfedd a gawsai y bore hwnnw. Roedd wedi llwyddo'n rhyfeddol drwy ganolbwyntio ar ei wersi, a gorfodi ei feddwl i aros yn y presennol a pheidio â chrwydro'n ôl i'r gorffennol o gwbl. Roedd wedi dechrau ymlacio, a blino hefyd, pan drodd gornel y prif goridor braidd yn rhy glou ganol y pnawn, ei freichiau'n llawn llyfrau a'i ben yn llawn o'r tasgau 'dala lan' oedd yn ei wynebu, gan iddo golli rhan dda o'r tymor. Pwy oedd hefyd yn troi'r gornel yn rhy glou o'r cyfeiriad arall ond Tracy benfelen. Ag un glec swnllyd, roedd ei bag wedi taro'n erbyn ei lyfrau nes eu bod nhw'n hedfan drwy'r awyr ac yn glanio'n bentwr gogoneddus o anniben ar lawr, a bag Tracy am eu pen.

Rhythodd Tracy arno'n syn. Am unwaith yn ei bywyd, safai'n hollol fud. Roedd hi'n sefyllfa od a dweud y lleiaf, a Tracy wedi hen ddod i'r casgliad fod Owain, hefyd, ychydig bach yn od.

'Sori,' mwmiodd Owain o'r diwedd. 'Sori . . . 'y mai i,' meddai gan dorri ar y tawelwch lletchwith oedd wedi tyfu rhwng y ddau. Tynnodd anadl ddofn. 'A wy'n byw yn rhif 45,' meddai wedyn, ar ei gyfer braidd, yn union fe pe bai rhywun arall wedi cymryd meddiant o'i geg a gorfodi'r geiriau i lifo ohoni. Roedd ei ymateb wedi bod bron yn gymaint o sioc iddo ac oedd i Tracy, ond ar yr un pryd, roedd yn falch o'r cyfle i drio gwneud yn iawn am ei ymddygiad lletchwith ac anghwrtais rai oriau ynghynt.

'Na, fi'n sori!' ymddiheurodd Tracy, gan feirioli tuag ato.

'Ti ddim yn byw'n rhy bell wrth Anti Nancy,' meddai gan wenu. 'Helpa i ti godi rheina . . .'

'Ond fyddi di'n hwyr . . .' meddai Owain, gan ei ddiawlio'i hun am swnio fel pe bai am gael gwared arni unwaith eto.

'Dim ots,' atebodd Tracy, gan gymryd ei hamser i gasglu'r llyfrau a syllu ar ambell glawr. '*Un Nos Ola Leuad*' darllenodd wrth fyseddu'r llyfr.

'Sa i 'di'i ddarllen e 'to . . . ond wy wedi gweld y ffilm . . .' meddai Owain, yn gwneud ei orau i gynnal sgwrs.

'Ti'n lico *films*?'

'Odw.'

'Ti 'di bod yn y Chapter? Pob siort o *films* fan'na,' meddai Tracy'n frwd.

'Nagw . . . Hei, wy'n mynd i fod yn hwyr i'r wers nesa,' meddai, gan daflu cip ar ei watsh.

'Dim probs, ti'n newydd. 'Di bod ar goll,' mynnodd, ei llygaid yn gwenu'n ddireidus unwaith eto.

'A beth fydd dy esgus di?'

'Dangos y ffordd i ti . . .' meddai dan chwerthin, gan fod yr ateb mor amlwg. Yna taflodd ei gwallt golau'n gawod sionc dros ei hysgwydd a cherdded oddi wrtho. Gwenodd Owain yn llydan am y tro cyntaf ers amser.

*

Ar ddiwedd y dydd, roedd Owain yn chwilio am y bws cywir i fynd adref i Bontcanna. Roedd hefyd, ar ei waethaf, yn hanner cadw llygad am Tracy ar yr un pryd.

'Hwnna ti'n moyn!' gwaeddodd llais oedd wedi dechrau tyfu'n gyfarwydd iddo. 'Dere! I ti ga'l sêt!' meddai Tracy wedyn, gan ddechrau cerdded at y bws.

'Iawn,' atebodd. 'Ond well i fi weld ble ma'n wha'r . . .' meddai, gan ddiawlio Megan dan ei anadl. Ble roedd hi? Chwiliodd am ei ffôn er mwyn cysylltu â hi.

'Hei 'na syniad. Beth yw rhif ti?'

'Sori?'

'Rhif ffôn!' meddai Tracy, gan wenu gwên a awgrymai ei bod hi'n gwybod yn iawn ei bod hi'n ewn, ond nad oedd hi'n becso taten! Roedd hi eisoes wedi tynnu ei ffôn o'i bag, yn barod i ychwanegu ei rif at ei ffôn hi. 'Grêt. Decsta i ti!' meddai wedyn, pan oedd rhif Owain yn ddiogel yn ei ffôn fach. 'Wela i di!' galwodd dros ei hysgwydd, cyn neidio ar y bws a gwthio'i ffordd i'r cefn, gan ddiflannu mor sydyn ag y cyrhaeddodd.

O'r diwedd, daeth Megan o hyd i Owain ymhlith y dorf a dringodd y ddau ar yr un bws ag y dringodd Tracy arno funudau ynghynt. Ond welai e mohoni'n unman ar y bws llawn. Bachodd sedd, cyn taflu cip bach slei dros ei ysgwydd i weld oedd hi'n eistedd rywle yn y cefn.

'Ti'n whilo am rywun?' holodd Megan yn llawn busnes wrth ei weld yn troi ei ben.

'Na!' meddai'n swta, gan ei orfodi ei hun i beidio ag edrych dros ei ysgwydd unwaith eto rhag i Megan ei holi ymhellach.

'Wel . . . Joiest ti?' gofynnodd ei chwaer yn goeglyd.

Oedodd Owain am eiliad a meddwl. Roedd wedi cael diwrnod go ryfedd. Teimlai fel pe bai wedi bod ar reid yn y ffair, yn dringo a disgyn am yn ail. Sut yn y byd gallai fod wedi camgymryd Tracy am Eleri yn gynharach, meddyliodd. Yr unig debygrwydd rhwng y ddwy oedd bod eu gwalltiau nhw'n olau ac yn gorwedd ar eu hysgwyddau . . . Doedd eu gwên ddim byd tebyg. Gwên swil oedd gan Eleri, tra bo gwên Tracy'n llydan ac yn llawn direidi. Llwydlas oedd llygaid Eleri tra bod llygaid Tracy'n las dwfn fel llyn tywyll oedd yn ddigon dwfn i foddi ynddo. Na, doedd yna ddim byd tebyg rhwng y ddwy o gwbl, penderfynodd.

'Do!' meddai Owain.

'Beth?!' holodd Megan yn fwy coeglyd fyth, yn methu credu bod Owain wedi mwynhau ei ddiwrnod cyntaf mewn ysgol ddieithr.

Gwenodd Owain a winciodd ar ei chwaer.

'Nytyr!' meddai Megan dan ei hanadl wrth i'r bws ddechrau ar y daith araf drwy'r traffig yn ôl 'adre'.

5

Crwydrodd Megan yr ardd gefn â'i diod yn ei llaw. Gallai deimlo'r awel yn gafael, ond roedd yn well ganddi fod yn yr ardd nag o dan do. Sipiodd ei diod yn araf gan edrych ar y tyfiant gwyllt o'i chwmpas, y llwyni'n ddi-siâp a'r dail wedi crino a disgyn yn bentwr pwdr ar lawr. Roedd y dail bron â gorchuddio'r llwybr o deils llwyd-dywyll a choch a arweiniai at glwyd bren yn y wal gefn. Gan wthio'r mieri o'r ffordd, ymlwybrodd at y glwyd oedd wedi'i bolltio a gweld bod hen allwedd rydlyd yn y clo. Rhoddodd ei gwydryn ar lawr er mwyn defnyddio'i dwy law i droi'r allwedd. Cydiodd wedyn yn nolen y bollt, a'i thynnu â'i holl nerth. O'r diwedd, gwichiodd yr hen ddrws pren, styfnig ar agor a gwelodd Megan fod llwybr cul yn rhedeg ar hyd cefnau'r tai. Penderfynodd ei ddilyn i weld i ble yr âi.

Wrth gerdded, crwydrodd ei meddwl yn ôl dros ei diwrnod cyntaf yn Ysgol y Pant. Ben bore, roedd ei hathro blwyddyn wedi'i chyflwyno i Siwan a Haf, oedd wedi'i chymryd dan eu hadain. Roedden nhw wedi bod yn ocê ar y cyfan, ddim hanner cynddrwg ag roedd hi wedi ei ofni ar y dechrau, beth bynnag, wrth i'r ddwy gamddeall sawl peth roedd hi wedi'i ddweud, am fod geirfa sir Gâr yn ddieithr iddyn nhw'u dwy. Doedd hi ddim yn hollol siŵr sut i ddehongli'r cipolygon bach slei oedd yn cael eu cyfnewid rhyngddyn nhw bob tro. Oedden nhw'n cael sbort am ei phen hi weithiau? Doedd hi ddim yn siŵr. Ond daeth i sylweddoli'n go glou fod pethau pwysicach na hi ar eu meddyliau.

Pethau fel ceisio tynnu sylw Dorian a Llŷr, oedd flwyddyn yn hŷn. Pryd a sut i gael eu bachau ynddyn nhw oedd y pwnc llosg. Roedd Megan wedi clywed gymaint am Dorian a Llŷr nes ei bod hi'n teimlo'i bod yn eu hadnabod yn iawn, er nad oedd hi erioed wedi torri gair â'r un o'r ddau! Roedd hi bron â laru clywed amdanyn nhw, ond y fantais fawr o dreulio cymaint o amser yn siarad am Dorian a Llŷr oedd na fu raid iddi hi ddweud rhyw lawer amdani hi ei hun. Falle bod Siwan a Haf yn ferched iawn yn y bôn, ond roedd hi braidd yn gynnar iddi ddechrau bwrw'i bola wrthyn nhw am ddim byd, fel yr arferai ei wneud gyda Nerys a Siân, oedd wedi bod yn ffrindiau â hi erioed. Ambell e-bost neu neges-destun oedd yr unig gyswllt rhyngddyn nhw erbyn hyn.

'*Miles away, are we?*'

Neidiodd Megan. Roedd hi wedi ymgolli cymaint yn ei meddyliau fel na sylwodd ar yr hen wraig oedd yn sefyll wrth glwyd gefn y tŷ olaf yn y rhes.

'*Lookin' a bit glum too, I'd say?*' meddai'n ofalus.

'*I'm not . . . glum!*' atebodd Megan yn amddiffynnol.

'*No?*' Lledwenodd y wraig, gan roi'r argraff nad oedd hi'n ei chredu. '*You're the new folk who've moved in to 45. Settlin' in alright, are we?*' gofynnodd, â rhyw dinc amheus yn ei llais.

Nodiodd Megan, yn amharod i ddweud yn wahanol.

'*That's good, but you'll be the first to settle if you do . . . There's been a lot of comin' and goin' in that house over the years!*'

'*What do you mean?*' holodd Megan.

'*Sad old house, that . . . All that sadness hangin' in those walls.*'

'*That doesn't make sense!*' meddai Megan, er bod ei stumog yn tynhau wrth i eiriau'r hen wraig daro nerf. Heb amheuaeth, roedd rhyw dristwch yn perthyn i'r trymder oedd wedi'i tharo pan gamodd i'r tŷ am y tro cyntaf. Ac roedd hi'n dal i deimlo'r un tristwch trwm bob tro roedd hi'n camu dros y trothwy. Doedd hi ddim yn teimlo'i bod hi'n dod 'adre' o gwbl. Doedd hi ddim yn meddwl y byddai'n ystyried rhif 45 yn gartref byth!

'*When we go, we leave somethin' behind, see. Some of us more than others. Depends on how much pain we've had . . . And some of us don' pass over completely neither . . . One or two get stuck along the way . . .*'

Rhythodd Megan arni'n fud gan deimlo croen gŵydd yn cropian dros ei chnawd. Roedd y wraig fel pe bai wedi llithro i fyd arall wrth iddi siarad, ei llais yn llawn teimlad a'i llygaid yn bell.

'*You've lost me now, 'aven't you?*' meddai, gan ganolbwyntio ar Megan unwaith eto. '*But I can tell you're sensitive,*' ychwanegodd. '*You knows something isn't right, don' 'u?*'

'*Have you been in our house?*' holodd Megan yn betrus.

'*No. I 'aven't been invited, but I'd be happy to call,*'

meddai, gan obeithio y byddai Megan yn ei gwahodd yn y fan a'r lle.

Wnaeth hi ddim. Teimlai Megan yn rhy ddryslyd i wneud hynny. Roedd y sgwrs hon mor annisgwyl. Ac yn anodd a dweud y lleiaf.

'*Some say you 'ave a presence . . .*' meddai'r hen wraig wedyn.

'*What?*'

'*Livin' spirits.*'

'*You mean ghosts. I don't believe in ghosts. I'm not a kid!*' atebodd Megan yn chwyrn.

Gwenodd yr hen wraig.

'*A ghost is a recording . . . that plays over and over. I'm talkin' about livin' spirits. There's one sittin' on your shoulder this very minute . . .*' meddai, gan edrych ychydig i'r dde o wyneb Megan. '*He was a lovely man, your grandad. Used to smoke a pipe, didn' he?*'

Daeth deigryn i lygad Megan. Fe'i sychodd ar unwaith.

'*It's OK. He's sayin' "hello". And that he loves you very much. He's watchin' over 'u, just like my Johnny's watchin' over me . . . Your grandad would like to speak to 'u . . . if 'u'd let him!*'

Sut yn y byd roedd hon yn gwybod bod ei thad-cu'n smygu pib, meddyliodd Megan. Oedd hi'n gallu darllen ei meddwl? Ei hanes? Neu a oedd gan lot o bobl dad-cu oedd yn smygu pib . . . holodd yn sinigaidd.

'*I gets my information from spirits,*' meddai'r wraig, yn amlwg yn gwybod yn iawn beth oedd yn mynd drwy feddwl Megan.

Dychrynodd Megan. Dechreuodd droi, yn barod i'w baglu hi oddi yno, ond gafaelodd y wraig yn ei braich.

'*Don' 'u be scared now, and don' 'u fret, 'cos no 'arm will come to 'u. You're protected,*' meddai. '*But if 'u ever wan' to talk, or if I can help, the name's Nancy!*' gofynnodd yn garedig, cyn rhyddhau ei braich. '*And 'u are?*'

Edrychodd Megan arni'n fud am eiliad.

'*Mable maybe, or Marge perhaps?*' holodd Nancy wedyn.

'Megan,' meddai.

'*Of course, Megan. I knew it started with an "M",*' meddai, dan wenu'n garedig.

'*Sorry, got to go! Supper will be ready,*' gwaeddodd Megan dros ei hysgwydd, rhag swnio'n rhy anghwrtais, ond wedi'i hysgwyd drwyddi.

Yna rhedodd Megan nerth ei thraed ar hyd y llwybr yn ôl i rif 45. Yn atsain yn ei chlustiau roedd geiriau'r hen wraig, oedd wedi ennyn ynddi'r gymysgedd ryfeddaf o hiraeth, chwilfrydedd ac ofn.

6

Fel roedd Megan wedi darogan, roedd swper ar y ford pan gyrhaeddodd y tŷ â'i gwynt yn ei dwrn.

''Le ti 'di bod!' holodd ei mam. Cerydd oedd e'n fwy na chwestiwn. Ond atebodd beth bynnag.

'Wâc!' meddai'n amddiffynnol, cystal â gofyn a oedd hynny'n broblem.

'Tyn dy got a stedda, cyn i'r bwyd 'ma oeri,' gorchmynnodd, gan blannu plataid o reis a chyrri sbeislyd oedd wedi dechrau sychu ar blat o flaen Megan.

Dim ond hanner gwrando ar y sgwrs o gwmpas y ford a wnâi Megan, a dim ond pigo'i bwyd a wnâi hefyd, gan ei bod yn dal i feddwl am Nancy. Doedd hi erioed wedi cyfarfod â neb tebyg o'r blaen. Roedd hi wedi siarad mor naturiol am bethau oedd yn cael eu styried yn annaturiol, yn wallgof hyd yn oed gan nifer o bobl. Bellach doedd Megan ddim yn gwybod beth i'w gredu, na beth oedd yn real a beth oedd yn ddychmygol. Yn araf bach, gollyngodd ei chyllell a chrwydrodd ei llaw dde at ei hysgwydd chwith. Dyna lle roedd Nancy wedi dweud bod Tad-cu'n gwylio drosti . . .

'Megan! Wyt ti 'da ni?' holodd ei thad, mewn llais a awgrymai nad dyma'r tro cyntaf iddo ofyn cwestiwn iddi.

Dychrynodd Megan a throi tuag ato.

'Ti 'di neud rhwbeth i d'ysgwydd?' holodd.

'Nagw,' meddai, gan ddynnu ei llaw yn ôl yn lletchwith ac ailafael yn ei chyllell.

'Shwt a'th hi 'da ti heddi?'

'Fi-cael-diwrnod-mega-crap!' atebodd, gan ddynwared un o'r acenion dieithr roedd hi wedi'u clywed yn yr ysgol y diwrnod hwnnw. Tynnodd ei thad anadl a phwyllo cyn ymateb.

'Beth?' holodd ei mam yn ffyrnig, wedi llyncu'r abwyd yn llwyr.

'Fi siarad Kerdiff Cymraeg nawr . . .' meddai, gan wybod yn union beth oedd yn siŵr o gynhyrfu ei mam.

'Er mwyn y mowredd, Megan . . .' dechreuodd ddweud, cyn sylweddoli bod Megan yn gwneud ei gorau i gorddi.

'Siarad di fel ti'n moyn, Megan,' meddai ei thad dan wenu, wedi gwrthod cynhyrfu'r un iot.

Ar ei gwaethaf, lledwenodd Megan yn ôl.

'Dad . . .' holodd wedyn. 'Ti'n meddwl allwn ni ffindo mas pwy o'dd yn byw yn y tŷ 'ma o'r blân?'

'Yr hen denantied ma' dy fam moyn 'u gwa'd nhw am adel y lle fel twlc?!' meddai ei thad yn ysgafn.

'Falle . . . ond licen i wbod pwy o'dd yn byw 'ma cyn hynny hefyd.'

'Beth yw'r diddordeb syden?' holodd ei mam yn ddrwgdybus.

'Project ysgol,' meddai Megan ar ei hunion.

'Ac ody pawb yn y dosbarth yn byw mewn hen dŷ?' prociodd ei mam.

'Ma' pawb sy'n byw mewn tŷ newydd yn neud coeden deuluol,' atebodd, gan ryfeddu mor rhwydd roedd y celwydd yn llifo.

'Pam na 'nei di goeden deuluol? Allen i dy helpu di,' cynigiodd ei mam.

'Gan bo ni 'di symud i hen dŷ, o'n i'n meddwl bod e'n gyfle i neud rhwbeth gwa'nol,' meddai Megan. 'Ffindo mas os buodd rhywun diddorol yn byw 'ma . . .'

'Neu os fuodd rhywun farw o'r pla 'ma ne rwbeth . . .' meddai ei mam yn goeglyd, yn meddwl bod hi'n deall yn iawn beth oedd gêm ei merch. 'Ta beth ffeindi di mas am y tŷ 'ma, so ni'n symud, reit!' meddai'n chwyrn, gan fforchio'i chyrri i'w cheg.

Ochneidiodd Megan ac ysgwyd ei phen. Roedd meddwl drwgdybus ei mam wedi carlamu fwy na dau gam o'i blaen y tro hwn. Chwilfrydedd a dim arall oedd yn tanio Megan y funud honno, ond doedd dim diben egluro hynny a'i mam wedi penderfynu fel arall.

'Gad e 'da fi,' meddai ei thad, gan daflu winc ar Megan.

'Diolch, Dad!'

Llwyddodd Megan i ganolbwyntio ar ei bwyd o'r diwedd. Dim ond hanner gwrando roedd hi ar ei mam yn sôn yn frwd am ei sgwrs â'r adeiladwr yn gynharach.

''I gyngor e o'dd cnoco'r gegin fach a'r gegin ganol yn un i ga'l un stafell fowr ole. A cha'l llawr cwbwl newydd . . .'

Bang! Neidiodd Megan o'i chroen.

'Rhaid bo ti 'di gad'el drws y bac heb 'i gau,' meddai ei mam, gan godi i weld.

'Naddo . . . Wy'n siŵr nes i 'i gau e!' atebodd Megan, gan ddechrau teimlo rhyw groen gŵydd yn cropian hyd ei gwddf. 'Fydden i wedi'i gau e achos bod y tŷ 'ma mor o'r!'

'Paid â dechre 'na 'to!' meddai ei mam.

'Wy 'bytu sythu!' cwynodd Megan, gan sylweddoli fod y tymheredd wedi gostwng yn sydyn yn y stafell.

Gollyngodd Megan ei chyllell a'i fforc a symud ei hysgwyddau a'i breichiau i geisio cael ei gwres.

'Ti fel y galchen. Wyt ti *wir* yn teimlo'n o'r?' holodd ei thad, oedd yn dal i wisgo'i siaced beth bynnag.

'Odw. So'r bwyd 'ma'n rhy dwym, chwaith!' meddai, gan deimlo rhyw ddiflastod yn llifo drosti.

'O'dd raid mynd am wâc? Ac aros mas cyhyd?' holodd ei mam yn amddiffynnol.

'Falle bod 'yn swper i'n o'r achos bod y tŷ 'ma'n o'r!' atebodd Megan yn ôl yn siarp, yn corddi y tu mewn.

'Os ti'n o'r, gwishga dy got!' mynnodd ei mam.

'Gynne o't ti'n gweud 'tho i am 'i thynnu hi! Nawr ti'n gweud 'tho i am 'i gwishgo hi – i fyta wrth y ford! Ble ni'n byw? Siberia?' holodd, a'i natur yn codi.

'Gad dy figitan a byt dy fwyd!' meddai Alys, yn fwy dig hyd yn oed na Megan.

'Pam na ddodi di dy fwyd yn y meicro . . ?' awgrymodd ei thad wrthi'n bwyllog, er mwyn ceisio rhoi stop ar ddadl oedd ar fin troi'n ffyrnig.

Yn anfoddog, cariodd Megan ei phlat i'r gegin fach a'i roi i dwymo yn y meicrodon. Pan ddychwelodd at y ford â phlataid cynnes o fwyd, roedd ei thad ger y lle tân, yn crychu'i drwyn.

'Dwyt ti ddim 'di trio cynne tân, wyt ti?' holodd, gan edrych ar Alys. Anadlai'n ddyfnach wrth siarad.

'Fydden i'm yn mentro heb g'lau'r shime!' atebodd Alys yn siarp, cyn symud yn nes at y lle tân i weld a allai hi arogli mwg. 'Alla i wynto rhwbeth,' meddai. 'O'dd y tenantied 'di cynne tân? Ne ife gwynt baco yw e?'

Baco. Dechreuodd Megan dalu rhagor o sylw i'r mân siarad yn y gegin ganol. Dyna'r ail dro i faco gael ei grybwyll. Tybed a oedd arogl baco'n gwneud i'w mam feddwl am Tad-cu? Rhyfedd nad oedd hi byth yn sôn amdano. Tybed a fyddai'n meddwl amdano weithiau? Tybed a oedd e'n gwylio drosti hi, hefyd, yn hofran rywle uwch ei hysgwydd chwith?

Gwnaeth Megan ymrech i ffrwyno'i dychymyg ond doedd dim modd rhoi stop ar y cwestiynau oedd yn chwyrlïo yn ei phen. Tybed a oedd pobl yn peidio â bod ar ôl iddyn nhw farw? Neu a oedd eu hegni neu'u heneidiau'n dal i wylio dros yr anwyliaid oedd ar ôl? Neu ai un twyll mawr oedd y cyfan? Rhyw dric i gysuro hen wragedd unig fel Nancy, neu unrhyw un oedd yn hiraethu ar eu hôl? Ai cyd-ddigwyddiad oedd y ffaith i Nancy ddweud bod ei thad-cu'n arfer smygu pib, ar yr union noson ag yr oedd arogl baco i'w glywed yn y tŷ? Oedd ei thad-cu, falle, wedi dod yno i ddweud 'helô!'? Os taw cyd-ddigwyddiad oedd y cyfan meddyliodd, roedd e'n un digon mawr i alw 'chi' arno – un arall o hoff ddywediadau ei mam-gu. Roedd hi'n dal i weld ei heisiau'n ddirfawr. Doedd ambell sgwrs dros y ffôn yn lleddfu dim ar yr hiraeth a deimlai amdani hi.

'Od taw nawr ni'n clywed arogl mwg . . . Sneb wedi byw 'ma ers amser!' meddai ei mam.

'Ma' awel 'da'i heno. Falle bod hen dawch 'di ca'l 'i whythu lawr i'r grat,' atebodd Penri'n gwbl resymegol, gan fyseddu'r hen bentan 'run pryd. 'Na, fydde hi'n drueni colli hon!' meddai, gan gofio'i sgwrs ag Alys am farn yr adeiladwr. 'Ma'r grat fel 'se hi'n perthyn 'ma. Gallen i ishte am orie o flân tanllwyth o dân fan hyn, fel o'n nhw'n neud slawer dydd,' meddai'n fyfyrgar.

'O'n i'm yn gwbod bo ti shwt ramantydd!' atebodd Alys yn siarp.

'Os 'yn ni 'di prynu hen dŷ, man a man 'i barchu e,' meddai Penri'n bwyllog. 'Ond fydd raid ca'l llawr newydd, heb os,' meddai, gan benlinio, a dechrau taro'r estyll pwdwr yng nghornel y stafell â hen brocer oedd yn gorwedd yn ymyl y grat.

Cnocio'n ysgafn wnaeth Penri i ddechrau, cyn iddo ddechrau curo'n galetach a chaletach. Roedd pob cnoc yn atseinio i bob cornel o'r stafell ac i fyny fry i'r nenfwd.

'Paid!' dwrdiodd Alys, am fod y sŵn yn mynd ar ei nerfau.

'Ma' rhaid i'r rhein ddod lan rywbryd,' mynnodd Penri, gan ddal ati i gnocio'n benderfynol ac egnïol nes bo'r pren yn breuo a'r estyll yn hollti.

'Ond ti'n creu annibendod!' crefodd Alys, yn teimlo rhyw banic rhyfedd yn gafael ynddi. Rhyw ysfa angerddol i dynnu'n groes iddo.

'Ol-reit, ond gore po gynta gewn ni ddachre ar y

gwaith,' meddai Penri, gan stopio o'r diwedd. 'Alla i ofyn i'r pensaer gwrddes i heddi i ddod draw i neud cynllunie er mwyn mestyn y tŷ at glawdd yr ardd, falle. Gallen ni ga'l to gwydr i oleuo'r stafell a llawr llechi dan dra'd. Beth amdani?' holodd Penri yn frwd.

'Mae'n syniad,' meddai Alys yn ddrwgdybus, yn synnu bod hi mor negyddol am y cyfan yn sydyn iawn, heb fod yn rhy siŵr pam, chwaith.

'Grêt. Ofynna i i Liz Lloyd alw ryw nosweth 'te!' meddai Penri.

Llithrodd cysgod dros wyneb Alys.

'Sdim penseiri gwryw i ga'l yng Ngha'rdydd?' holodd rhwng ei dannedd. Dim ond wrth iddi ynganu'r geiriau y sylweddolodd faint o wenwyn oedd ynddyn nhw. Digon o wenwyn i godi ofn arni'i hun yn gymaint ag ar neb arall.

Edrychodd Penri arni'n syn, ei wyneb yntau hefyd yn crebachu.

'So ti'n dala i'n ame i?' holodd yn ddig. 'Ar ôl yr aberth wy 'di neud!' meddai a'i lais yn codi. 'Ti'n mynd i ame pob menyw fydda i'n cwrdd â hi yn 'y ngwaith?' meddai wedyn, wedi hen anghofio bod Megan ac Owain yno'n gwrando'n gegrwth.

Llyncodd Alys yn galed; roedd ei gwddf yn sych gorcyn. Gwyddai iddi ymateb yn afresymol, yn fwy afresymol nag oedd hi erioed wedi'i wneud o'r blaen. Ymateb mewn ffordd oedd bron y tu hwnt i'w rheolaeth. Roedd yn ingol ymwybodol o ymateb lletchwith, diflas ei phlant o'i chwmpas. Cydiodd Owain yn ei blat a'i gario i'r gegin fach. Daliodd

Megan i eistedd a gwylio â chwilfrydedd poenus, pryderus. Roedd hi'n daer am gael gwybod beth oedd yn mynd ymlaen rhwng ei rhieni, beth yn union oedd y sgôr erbyn hyn.

'Wrth gwrs nagw i'n dy ame di,' meddai Alys yn frysiog, yn awyddus i dynnu ei geiriau'n ôl. Ond doedd dim modd gwneud hynny, ac roedd y geiriau roedd hi newydd eu hynganu'n swnio'n wag i'w chlustiau hi'i hun. Mor wag â'r pren pwdr roedd Penri wedi'i chwalu funudau ynghynt. Doedd hi ddim am ddychmygu sut roedd ei geiriau'n swnio iddo fe. Roedd ei stumog yn glymau erbyn hyn a chyhyrau ei hwyneb yn dynn. Yn sydyn, tynnwyd sylw pawb gan sŵn clician yn dod o'r rheiddiadur ar y wal gyfagos, gan dorri ar y tawelwch llethol, ffrwydrol oedd yn llenwi'r gegin ganol.

'Ma' hi wedi oeri!' meddai Alys ar ei chyfer. 'O't ti'n iawn, Megan, ma'r tŷ 'ma'n o'r,' cyfaddefodd, ei chrib wedi'i thorri'n llwyr. Estynnodd ei llaw at y rheiddiadur yn ei hymyl. 'Well i ni tsheco'r system,' meddai, gan edrych ar y deial i weld ar ba rif roedd y gwres. 'Gweld os o's problem, cyn i'r gaea ddod,' parablodd i guddio'i lletchwithdod. 'Ma'r gwaith papur mewn bocs yn y stydi,' meddai, gan osgoi edrych ar Penri wrth siarad.

Erbyn i Alys godi ei phen i feiddio'i wynebu unwaith eto, roedd Penri wedi troi ar ei sawdl ac yn dechrau dringo'r staer.

'Penri?' gwaeddodd ar ei ôl. Ond atebodd e ddim. Y cyfan a glywai oedd sŵn ei draed yn cilio yn y pellter. Pwysodd Alys ei phen ar y wal, a gadael i'r oerni lifo drosti. Teimlai mor flinedig. Mor llipa ac mor wan, fel pe bai rhyw leidr anweledig wedi dwyn ei hegni oddi arni a sugno'r maeth yn ddistaw ohoni.

Daliai Megan i eistedd yn dawel, am unwaith, wrth ford y gegin.

Sylwodd Megan ar y tristwch llethol ar wyneb ei mam. *'All that saddness hangin' in those walls'* oedd geiriau Nancy'n gynharach. Bron na allai Megan deimlo'r tristwch yn cau amdani y funud honno. Gwelai fod ei mam yn torri'i chalon. Serch hynny, allai ddim â mynd ati a rhoi ei breichiau amdani. Roedd rhywbeth yn ei rhwystro, er bod rhan ohoni'n daer am gael ei chysuro. Yn hytrach, cydiodd yn ei phlat, a'i gario i'r gegin o afael y tristwch llethol a'r ias anesboniadwy oedd yn tynhau eu gafael bob yn dipyn arnyn nhw o hyd.

*

Ciliodd Penri i'w stydi ar yr ail lawr ac edrych ar yr anhrefn o'i gwmpas. Ar lawr, roedd môr o ffeiliau a bocsys oedd angen eu didoli a'u gosod mewn trefn, cyn bod gobaith cael gafael ar ddogfennau'r Bwrdd Nwy. Doedd arno ddim tamaid o awydd dechrau ar y gwaith. Yn hytrach, ciciodd un o'r bocsys yn ffyrnig â'i droed dde gan hollti'r tawelwch ag un ergyd swnllyd. Roedd yna ryddhad yn y cicio. Ciciodd eto, ac eto, gan adael i'r gynddaredd oedd yn ei gorddi lifo'n ffrwd ddiatal ohono.

Y cyfan roedd wedi'i wneud oedd enwi menyw arall . . . menyw ddieithr. Cyd-weithwraig roedd newydd ei chyfarfod! Roedd ymateb Alys yn gwbl afresymol, os nad yn hollol wallgof . . . Ond wedyn, cyd-weithwraig oedd Linda ar un adeg, sylweddolodd, cyn iddi lenwi ei feddwl a'i fyd. Ac roedd yn dal i feddwl amdani a'r golled roedd wedi'i chael drwy gael ei orfodi i wneud dewis oedd yn amhosib, bron.

Nid dewis rhwng Alys a Linda y bu'n rhaid iddo wneud, ond dewis rhwng Linda a'i blant, ar ôl i Alys ei gwneud hi'n glir na châi weld Owain a Megan eto, pe bai'n dewis Linda a'r busnes yn hytrach na hi. Gallai fod wedi mynd ag Alys i gyfraith, wrth gwrs, er mwyn cael gweld ei blant, ond byddai wedi bod yn broses hir a diflas, ac fe fyddai Megan ac Owain wedi diodde'n enbyd. Roedd wedi aberthu cymaint o hapusrwydd ac wedi cyfaddawdu ar bopeth, bron. Ac er mwyn beth? Er mwyn i Alys ddannod a drwgdybio a chreu uffern i bawb? Roedd ei deulu dan yr unto ac fe ddylai deimlo'n ddedwydd. Ond y gwir amdani oedd, doedd e erioed wedi teimlo mor unig, mor ynysig, ac mor oer yn ei fywyd o'r blaen.

Estynnodd ei law at y rheiddiadur i weld a oedd hwnnw wedi magu rhywfaint o wres ers iddo droi'r bwlyn i'r marc uchaf funudau ynghynt. Llugoer oedd hwnnw. Mor llugoer â'r ymgais roedd e ac Alys yn ei gwneud i achub y briodas a rhoi sicrwydd i'w plant.

7

Bu Tracy gystal â'i gair.

Haia! Neis cwrdda ti.
Trace x

oedd y neges anfonodd hi at Owain.

Neis cwrdda ti! x

atebodd, heb ormod o oedi.

Doedden nhw ddim wedi cael fawr o gyfle i siarad weddill yr wythnos, gan fod Owain yn cael gwersi ychwanegol, a bod Aled, y prif fachgen, wedi'i gyflwyno i fois y chweched, a'r rheini wedi'i berswadio i ymarfer rygbi bob amser cinio. Dim ond ambell gip ar Tracy roedd wedi'i gael pan fyddai'n ciwio am y bws i fynd adref. A bryd hynny, byddai hi yng nghwmni ei ffrind, Sheryl, oedd fel rhyw gysgod yn ei hymyl o hyd! Serch hynny, synhwyrai fod Tracy'n gwybod yn iawn ei fod yn daer eisiau siarad â hi, ond doedd hi'n gwneud dim i'w helpu, dim ond gwenu arno'n bryfoclyd a'i orfodi i aros ei gyfle.

Pan oedd y cyfle hwnnw fel pe bai byth am ddod, gwnaeth Owain benderfyniad dewr. Eithafol, hyd yn oed!

Swper yn 45 Gerddi Plasturton
nos fory? x

anfonodd ati, cyn colli ei hyder a'i nerf.

Cafodd ateb yn ôl ar ei union . . .

Cŵl! x

Gallai fod wedi mynd â hi i'r dre. I'r Pizza Hut neu i rywle, lle na fyddai ei fam yn gallu busnesan. Er mor apelgar oedd hynny, roedd ei gwahodd i'r tŷ yn ateb dau ddiben. Câi gyfle i'w gwahodd i'w stafell i wrando ar ei gerddoriaeth wedi'r pryd bwyd. A hefyd, roedd ei chael hi yno dan yr un to â'i deulu yn anfon neges glir i'w fam oedd yn dweud ei fod wedi ailafael yn ei fywyd ac nad oedd angen iddi ffysan fel iâr yn ei gylch. Roedd e'n dal i deimlo rhywfaint o gywilydd am iddo siarad mor blaen â hi'r noson honno yn y gegin, ac yn fwy felly am iddo ddatgelu rhywfaint o'r dymestl emosiynol oedd wedi bod yn ei rwygo'n ddiweddar. Doedd e ddim yn ei chael hi'n hawdd datgelu teimladau ar y gorau a doedd ei fam ddim yn un hawdd trafod â hi. Doedd e'n synnu dim ei bod hi wedi'i siarsio i beidio â chyfeirio at y digwyddiad nac atgyfodi dim o gynnwys y ffrae byth eto. Roedd hi, yn amlwg, am iddo gladdu'r gorffennol a'i anghofio, fel pe na bai erioed wedi bodoli.

Doedd e, ar y llaw arall, ddim yn siŵr pa mor bosib oedd hynny, ond ar yr un pryd roedd e'n daer am gael dechrau newydd. A dyna'n union beth roedd Tracy yn ei gynnig iddo. Fe ddylai ei fam fod yn falch, felly, ei fod wedi gwahodd Tracy i'r tŷ. Nid ei fod wedi gwneud hynny er mwyn ei phlesio hi, chwaith. I'r gwrthwyneb, pe bai'n onest. Roedd ganddo deimlad ym mêr ei

50

esgyrn na fyddai Tracy'n plesio o gwbl, yn union fel nad oedd Eleri wedi plesio . . . fel na fyddai unrhyw ferch yn plesio, am mai fe oedd yr unig fab, a chyw cynta'r nyth, gwaetha'r modd!

*

'Ti'm yn meddwl bod hyn braidd yn glou ar ôl . . . ti'n gwbod?' meddai Alys wrth Penri, tra oedd hi'n troi'r llysiau a'r cig yn y ffrempan fawr yn y gegin fach. Gwylio'r teledu yn y lolfa roedd Owain a Tracy ar y pryd, gan aros am eu swper.

'Alli di feddwl am well ffordd iddo fe setlo?' atebodd Penri.

Cyn i Alys gael cyfle i'w ateb, clywodd y ddau sŵn chwerthin Owain a Tracy'n cario i'r gegin fach. Doedden nhw ddim wedi clywed Owain yn chwerthin mor iach ers amser. Cododd Penri ei aeliau arni a brathodd Alys ei thafod tra cariodd ei gŵr y platiau cynnes i'r ford yn y gegin ganol.

'Ma' Mam a Dad yn dod o'r Rhondda, ond symudon ni i Grangetown achos gwaith Dad,' meddai Tracy, wrth ateb un o gwestiynau mynych Alys dros swper.

'A beth yw gwaith dy dad?' holodd wedyn.

Teimlai Owain fel cicio'i fam o dan y ford, am fod y cwestiwn – *Wyt-ti-a-dy-deulu'n-ddigon-da-i'n-Owain-bach-ni?* yn rhy amlwg o lawer! Ond yn hytrach na'i chicio . . .

'Ma' Mam yn styried ca'l jobyn 'da'r heddlu,' eglurodd Owain, gan herio'i fam â'i lygaid.

'Mae'n *OK*,' meddai Tracy gan chwerthin. 'Mecanic yw Dad. Ma' fe'n gweithio mewn garej yn y Bae nawr.'

Gwenodd yn gwrtais a diplomatig ar Alys, cyn gwenu ar Owain. Sylwodd Alys ar yr edrychiad cynnes rhwng y ddau, a theimlodd ei chylla'n tynhau.

'Ma'i wastod yn handi nabod mecanic,' meddai Penri, gan lywio'r sgwrs i dir mwy diogel.

'Gei di 'i rif ffôn e,' meddai Tracy. 'Mae'n dod â lot o fusnes i'r garej,' ymffrostiodd.

Nododd Alys fod Tracy'n galw 'ti' ar ei gŵr, ar dad ei ffrind! Roedd hon yn ferch ewn, barnodd, heb os.

'Ma' Anti Nancy'n byw yn y stryd 'ma,' meddai Tracy wedyn. 'Chi 'di cwrdda hi?'

'Nag'yn. D'yn ni'm 'di siarad rhyw lawer â'r cymdogion,' atebodd Alys, gan chwarae â'i bwyd.

'Symudodd Anti Nancy 'ma flynyddoedd yn ôl, ar ôl priodi Wncwl Johnny. O'dd e'n *loaded*. Wel . . . ma' pawb sy'n byw ffordd hyn, nag'yn nhw?' meddai gan chwerthin yn bryfoclyd ar Penri.

'Fyddet ti ddim yn gweud 'na 'se ti'n gweld maint y morgais . . .' dechreuodd Penri ddweud, gan wenu'n ôl arni. Yna teimlodd law Alys ar ei fraich yn ei ffrwyno a'i rwystro rhag dweud rhagor o'u busnes.

'Ers pryd ma' Anti Nancy wedi byw 'ma?' holodd Alys yn gwrtais.

'*Ages*! Ar ôl y rhyfel. Fe briododd hi ac Wncwl Johnny, ac a'th hi i fyw gyda fe a'i deulu. Dim ond hi sy'n fyw nawr. Mae'n ratlo rownd yn yr hen dŷ 'na ar ei phen 'i hun. Ond neith hi ddim gad'el. Dim ond mewn bocs!' meddai, heb deimlo chwithdod nac ofn wrth drafod pwnc mor sensitif. 'Od bo chi ddim 'di cwrdda hi, ma' hi'n nabod pawb . . .'

'Wy 'di cwrdda hi,' torrodd Megan ar ei thraws. Roedd hi wedi dechrau gwrando'n fwy astud ar y sgwrs ers iddi glywed sôn am Anti Nancy.

'Wedest ti ddim!' meddai Alys, yn union fel pe bai pawb i fod i ddweud popeth wrthi!

'Bet bod hi 'di gofyn lot o gwestiyne! Ma' hi'n rial Bessie Busnes!' atebodd Tracy'n ysgafn, er mwyn llacio'r tyndra rhwng y fam a'r ferch. 'Ac mae'n siarad lot gormod, fel fi!' meddai wedyn dan chwerthin yn chwareus.

Gwenodd Megan, gan gymryd at Tracy fwyfwy.

'Ddim o gwbwl,' chwarddodd Penri, gan daflu winc ar 'ffrind' newydd Owain. 'Ni'n moyn dod i dy nabod di . . . A dy Anti Nancy,' meddai'n gynnes wrth Tracy.

'Hanner tshans a fydd hi rownd 'ma fel shot. Dweud wrtho chi am bido noco wal lawr – wel, ddim heb ganiatâd y bobol o'dd yn byw 'ma!' meddai, gan daflu cip o amgylch y gegin ganol.

'Y bobol sy ddim yn byw 'ma ragor!' meddai Alys â rhyw fin coeglyd yn ei llais.

'Ma' peth o' nhw'n aros ar ôl, hyd yn oed ar ôl iddyn nhw farw. Ma' rhai tai'n hapus, a rhai tai'n drist . . .' eglurodd Tracy'n fyfyriol gan ddal i synhwyro awyrgylch y stafell.

'Ma'r tristwch yn aros yn y welydd, ody e?' holodd Megan ar ei gwaethaf, gan adleisio geiriau Nancy.

'Megan, so ti erio'd yn credu shwt ddwli!' meddai ei mam yn chwyrn.

'Ma' fe'n wir!' mynnodd Tracy. 'Ma' fe'n aros yn y *plaster* . . . yn y *crystals*. Mae'n well cliro fe na gad'el e i fod!'

'A 'na beth ma' Anti Nancy'n neud a chodi ffortiwn am y gwaith!' meddai Penri, gan wincio ar Tracy.

'Alle ambell un werthu swnd i Arab, wy'n siŵr,' meddai Alys â'i thôn yn goeglyd unwaith eto.

'Na, so Anti Nancy'n codi fowr ddim. Dim byd o gwbwl i rai sy ffaelu talu.'

'Beth am ofyn iddi ddod draw?' holodd Megan.

'Ie. Bydde hi'n neud e fel ffafr i chi. Bydde fe'n helpu chi i setlo. A bydde fe'n helpu unrhyw un sy wedi ffaelu croesi,' eglurodd yn fyfyriol, yn dal i astudio'r stafell.

'Pam fydden nhw'n ffaelu croesi?' holodd Owain yn syn.

'Achos bo nhw'n teimlo'n *guilty* am rwbeth . . .' meddai, cyn i'w llygaid droi at Alys ac oedi arni'n hwy nag oedd yn gysurus.

Saethodd rhyw gryd sydyn drwy fam Owain. Yr eiliad honno, roedd hi'n casáu Tracy. Beth oedd ar y ferch yn edrych arni fel'na? Roedd hi fel pe bai'n edrych drwyddi nes ei chorddi a'i haflonyddu i gyd. Doedd ganddi ddim hawl i wneud hynny – dim hawl o gwbl i fusnesu. Ei chartref hi oedd hwn, y hi a'i theulu, a doedd gan neb arall hawl i ymyrryd na phlannu syniadau gwallgof ym mhen ei phlant!

'Beth am i ni ga'l pwdin?' meddai Alys, ei llais yn oeraidd a'i llygaid yn gwibio o'r naill i'r llall, er mwyn osgoi llygaid Tracy fel y pla.

'Ie, plîs,' atebodd Penri ac Owain fel côr.

Roedd Alys ar ei thraed ac eisoes wedi troi am y gegin pan glywyd clec sydyn. Ychydig i'r dde iddi, roedd llun o'r teulu wedi syrthio oddi ar y wal uwch y silff-ben-tân a tharo gwaelod y grat islaw yn galed.

'O! Na!' gwaeddodd Alys yn siomedig, gan ruthro i'w godi a sylwi ar y crac hagr oedd bellach yn hollti'r llun yn ddau.

'Falle bod rhywun yn trio gweud rhwbeth wrthon ni,' meddai Megan ar ei chyfer, wedi dychryn drwyddi, heb fod yn rhy siŵr beth yn union roedd hi'n ei feddwl nac yn trio'i ddweud. 'Beth os nag 'yn ni fod 'ma?' meddai'n sydyn, gan daflu cip ar Tracy i weld a oedd hi'n cytuno.

Ond roedd Tracy wedi tawelu ac yn edrych braidd yn ofidus erbyn hyn.

'Ti'n ocê?' holodd Owain.

Nodiodd Tracy'n ôl, heb ddweud gair.

'Y gorden o'dd 'di breuo, 'na i gyd!' eglurodd Penri'n bwyllog resymegol, ar ôl iddo godi ac astudio'r difrod. 'Gewn ni'r llun wedi'i ailffrâmo. Nawr ble ma'r pwdin 'na?' holodd, er mwyn annog pawb i feddwl am eu stumogau yn anad dim arall.

Ond roedd Megan, beth bynnag, wedi colli pob archwaeth. Roedd hi'n teimlo'n ddigon rhyfedd. Funudau'n ôl, roedd hi wedi teimlo'n gynnes, braf, wrth i Tracy anadlu bywyd i'r hen dŷ a'i lenwi â sŵn chwerthin. Ond doedd neb am chwerthin nawr. Roedd rhywbeth wedi digwydd; yr awyrgylch wedi newid. A oedd ganddo rywbeth i'w wneud â'i mam, a'r ffordd roedd hi wedi amharchu Tracy? Doedd hi ddim yn siŵr.

Cododd Megan ei hysgwyddau a symud ei gwegil, gan ei bod hi bellach yn teimlo cryd oer yn cropian ar hyd ei chorff. Yr un math o oerni anghysurus ag yr oedd hi wedi'i deimlo pan ddywedodd ei mam ei bod wedi siarad â'r adeiladwr ynglŷn ag addasu'r tŷ rai nosweithiau'n ôl. Bryd hynny, roedd drws y cefn wedi agor a chau'n glep, heb fod neb wedi'i gyffwrdd. Hwyrach fod yr hyn roedd Tracy wedi'i ddweud *yn* wir. Nad oedd yr ysbrydion yn hapus pan oedd rhywun yn ymyrryd â siâp gwreiddiol y tŷ. Falle nad oedden nhw'n hapus chwaith pan oedd rhywun yn eu hamharchu, fel roedd ei mam newydd ei wneud. Ai dyna pam roedd y darlun wedi disgyn? Ai rhybudd oedd hynny? Rhybudd o'r hyn oedd i ddod?

Sylweddolodd Megan ei bod yn groen gŵydd drosti. Roedd arni ofn. Ofn gwirioneddol.

8

''Nes i godi ofn ar dy fam,' meddai Tracy, gan led-orwedd ar wely Owain. Roedd miwsig isel yn chwarae ar ei gyfrifiadur, a golau bach y lamp yn ymyl ei wely'n taflu cysgodion clyd hyd y muriau.

'Na! Ofon i Megan ga'l rheswm arall dros gasáu'r tŷ o'dd Mam.'

'Pam ma' hi'n casáu'r tŷ?'

'Gweld e'n o'r ac yn dywyll . . . Yn sbwci falle!' meddai dan wenu, heb fod yn rhy siŵr a oedd e o ddifri neu beidio.

'Beth *ti*'n feddwl?' holodd Tracy.

Oedodd a chododd ei ysgwyddau.

'Ma'r tŷ 'ma *yn* teimlo'n od w'ithe . . .' meddai.

'Od?'

'Fel 'se'r aer yn stêl . . . yn brin. Wy'n teimlo fel 'sen i'n mogi os wy'n dihuno ganol nos.'

'Fyddi di'n dihuno'n amal?' holodd Tracy.

Nodiodd Owain.

'O't ti *wir* yn meddwl beth wedest ti am y crisiale yn y plastar?' holodd, ei aeliau'n crychu, yn rhannol mewn penbleth ac yn rhannol mewn protest yn erbyn syniad oedd mor anghyfarwydd a rhyfedd.

'O'n. Ti'n meddwl taw 'na pam ti'n dihuno . . ? Bod

rhwbeth yn y tŷ 'ma'n neud i ti deimlo fel bo ti'n mogi?' holodd Tracy.

'Falle . . . A wy'n ca'l hunllefe hefyd,' meddai, gan hanner difaru iddo gyfadde mor rhwydd.

'Am beth?' holodd hithau.

'Sa i'n cofio lot amdanyn nhw pan fydda i'n dihuno,' atebodd, gan geisio tynnu'i eiriau'n ôl. 'So fe 'di digwydd ers sawl nosweth nawr,' meddai. 'Falle bo fi'n setlo o'r diwedd,' awgrymodd, mor ysgafn a di-hid ag y gallai. Y peth olaf roedd am ei wneud oedd dangos fod arno ofn neu ofid am unrhyw beth, yn enwedig ar ei ddêt cyntaf. Doedd hynny ddim yn cŵl o gwbl, yn arbennig i ddyn!

'Wel, ni'n gwbod bod neb yn aros yn hir yn y tŷ 'ma!' meddai Tracy'n bwyllog.

'O, ie! Achos yr ysbrydion!' chwarddodd Owain, gan ddechrau pryfocio'n ysgafn, a cheisio swnio mor *macho* ag y gallai.

'Ti'n meddwl newch *chi* aros?' holodd Tracy.

'Ddim os ceith Megan 'i ffordd.'

'Beth amdanot *ti*?' pwysodd Tracy wedyn, gan ddal i'w astudio'n ofalus.

'Sdim ots 'da fi,' meddai, gan godi ei ysgwyddau'n ddi-hid, er bod rhan ohono'n gorfoleddu eu bod nhw wedi symud yno i fyw, gan fod hynny wedi dod ag e a Tracy yn nes at ei gilydd.

'Pam nethoch chi symud?' holodd Tracy, fel pe bai rhyw chweched synnwyr yn dweud wrthi fod stori'n llechu rywle dan yr wyneb.

Oedodd Owain. Doedd e'n dal ddim gant y cant yn

siŵr beth oedd y prif reswm pam eu bod nhw wedi symud. Roedd yna gyfuniad o resymau, cyfres o ddigwyddiadau, oedd yn fuan wedi magu eu momentwm. Ble oedd dechrau egluro? Roedd yn ymwybodol eu hunain hefyd y gallai *trio* egluro ei arwain i dir nad oedd yn barod i'w droedio gyda Tracy na neb – ddim eto, beth bynnag. Penderfynodd ei bod hi'n haws, felly, iddo ddweud rhyw hanner gwir. Doedd hynny ddim fel dweud celwydd, nag oedd?

'Jobyn Dad,' meddai'n syml, gan osgoi edrych i fyw llygaid Tracy. Sylweddolodd ar yr un pryd fod y miwsig wedi dod i ben. 'Hei, licet ti glywed rhwbeth arall. Beth licet ti?' holodd, mewn ymdrech i droi'r sgwrs.

Meddyliodd Tracy am ennyd. 'Sda ti *Road to Hell,* Chris Rea?' gofynnodd.

'Sa i'n credu . . .' atebodd, dan wenu mewn syndod. Byddai wedi disgwyl iddi ofyn am gân gan grŵp roc fel Masters in France, neu'r Stereophonics.

'Ma' fe ar YouTube!' meddai Tracy wedyn.

Ufuddhaodd Owain. Funudau'n ddiweddarach, roedd sŵn cras Chris Rea yn llenwi'r stafell a Tracy'n symud i guriad y gân, yn cydganu â'r artist, wrth led-orwedd ar y gwely. Daliai Owain i eistedd ar gadair ei gyfrifiadur yn gwylio Tracy'n mynd i hwyl, cyn chwerthin am ben ei hymdrechion i efelychu llais cras y canwr. Rhoddodd hi'r gorau i berfformio o'r diwedd. Gwenodd ar Owain a tharo'i llaw yn wahoddgar ar y gobennydd yn ei hymyl, er mwyn ei annog i ymuno â hi.

Gwyliodd Owain hi'n gorwedd yn ôl ar ei hochr, ei

phen yn pwyso ar ei braich a'i hwyneb yn gwenu'n ddireidus arno.

Yn araf, cododd Owain ac eistedd yn ei hymyl ar y gwely. Roedd ei lygaid yn ei gwylio'n ofalus, yn syllu i'w llygaid siriol. Yna, lled-orweddodd yn ei hymyl a throi i'w hwynebu. Daeth yn ymwybodol o arogl glân, cnau coco, ei gwallt. Estynnodd ei fraich am ei gwddf a'i thynnu ato'n dyner. Cyffyrddodd ei wefusau'n ysgafn â'i gwefusau hi. Yna, mentrodd wthio'i dafod i'w cheg a'i chusanu'n galetach, yn ffyrnicach, ei ddwylo'n crwydro dros ei braich ac wedyn at ei bron.

'*Hang on*! Dêt cynta . . . dim ond *snog*, *OK*!' meddai Tracy, gan ymryddhau o'i afael.

'*Tease*,' atebodd yntau'n ysgafn, gan obeithio nad oedd hi'n chwarae ag e ac yn cael hwyl am ei ben.

'Na!' mynnodd hithau.

Mentrodd ei chusanu'r eilwaith, gan fod yn fwy gofalus ble roedd e'n rhoi ei ddwylo y tro hwn.

Dyna pryd ddaeth y gnoc ar y drws. Neidiodd y ddau. Llithrodd Owain oddi ar y gwely ac ar ei draed wrth i'w fam gamu i'r stafell.

'Alla i neud diod siocled i chi?' holodd, yn llygaid i gyd ac yn amlwg yn chwilio am esgus i darfu ar y ddau.

Tagodd Tracy ei awydd i chwerthin, gan hoelio'i holl sylw ar gwrlid y gwely, rhag i Alys weld y direidi yn ei llygaid.

'Na, dim diolch,' meddai Owain, yn cochi gan gywilydd, ac yn ewyllysio'n daer ar i'w fam fynd o'na ar ei hunion.

Disgynnodd tawelwch lletchwith rhwng y tri, wrth i

lygaid Alys oedi ar Tracy. Roedd hi'n amlwg yn gwgu ar y ffaith ei bod yn gorwedd ar ei wely a bellach yn cilwenu arni'n ewn.

'Sdim gwaith 'da ti neud?' holodd Alys yn finiog wrth Owain.

'Dim byd sy raid 'i neud heno!' heriodd yntau.

Tynhaodd gwefusau Alys yn un blethen dynn, cyn iddi droi ar ei sawdl a thynnu'r drws yn gyndyn ar ei hôl.

'Ma' Mam ti'n *star*!' meddai Tracy gan ryddhau'r chwerthiniad roedd hi wedi llwyddo i'w lethu o drwch blewyn eiliadau ynghynt.

'Mae'n *control freak* llwyr!' mynnodd Owain, yn dal i deimlo embaras am y ffordd roedd ei fam wedi ymddwyn. Ond, diolch i chwerthin Tracy, roedd hi'n anodd dal dig yn hir. Doedd ei fam, yn amlwg, yn mennu dim arni! A phetai ond am y rheswm hwnnw'n unig, roedd Tracy'n seren a hanner! Trodd ac edrych i fyw ei llygaid. Distewodd chwerthin heintus Tracy.

'Am beth ti'n meddwl?' holodd Tracy, ar ôl sylweddoli bod Owain yn edrych arni'n ddwys, fel pe bai'n syllu i ddyfnder ei henaid.

Atebodd Owain ddim. 'Beth am ragor o fiwsig?' cynigiodd, braidd yn gras ei lais, a dechrau codi oddi ar y gwely.

'Na, paid,' meddai Tracy. 'Aros!' meddai gan estyn ei braich i'w gadw yno.

Ufuddhaodd Owain a throi'n ôl i edrych arni unwaith eto.

'Ma' rhwbeth ar dy feddwl di,' meddai Tracy'n daer.

Tynnodd Owain anadl hir.

'Meddwl mor bert wyt ti,' atebodd ymhen eiliad neu ddwy, gan obeithio y byddai hynny'n ddigon i roi taw ar yr holi.

'Ma' rhwbeth ti ddim yn dweud . . .' pwysodd Tracy wedyn.

Osgôdd Owain ei chwestiwn drwy roi ei freichiau amdani unwaith eto a'i chusanu. Ei boddi â chusanau, rhag iddo orfod ateb . . . na meddwl . . . na chofio . . .

'Owain!'

Roedd Tracy'n tynnu oddi wrtho unwaith eto ac yn ymladd am ei hanadl ond yn gwenu ar yr un pryd.

'Wy'n ffaelu gad'el llonydd i ti,' meddai Owain, gan wneud ei orau i'w swyno. Gafaelodd yn ei llaw a'i gwasgu. Syllodd i fyw ei llygaid unwaith eto. Ceisiodd argraffu ar ei gof bob modfedd o'i hwyneb a'i gwên. 'Wy mor falch bo fi 'di cwrdd â ti!' sibrydodd.

'Fi 'fyd!' meddai Tracy, gan chwerthin. 'Ond well i fi fynd.'

'Ddim o achos Mam . . ?'

'So ti'n moyn iddi stopo fi dod 'ma?'

'Nagw,' meddai, gan ei chusanu'n ysgafn unwaith eto, cyn ei hebrwng i lawr y staer ac allan i'r stryd.

'Ti'n siŵr ti ddim moyn lifft 'da Dad?' gofynnodd wrth i Tracy gamu dros y trothwy.

'Gaf i'r bws, dim probs. Diolch. Ta-ra!' meddai, cyn brasgamu'n ysgafn i gyfeiriad heol Eglwys y Gadeirlan.

Gwyliodd Owain hi'n mynd yn smotyn bach yn y pellter, yn methu credu fel roedd ei fyd yn newid mor gyflym ac annisgwyl. Camodd yn ôl o oerni'r stryd yn wên o glust i glust. Roedd yn barod i lamu i'r llofft, ddwy ris ar y tro, i daclo'r mynydd o waith cartref oedd ganddo'n gwbl ddi-gŵyn, pan glywodd ddrws y gegin ganol yn agor a llais ei fam yn ei gyfarch.

'Tracy wedi mynd?' holodd, mewn goslef a awgrymai ei bod hi eisoes yn gwybod yr ateb ond yn awyddus i gael cadarnhad.

'Wy'n mynd i ddachre ar y gwaith 'na nawr!' meddai Owain, cyn i'w fam gael cyfle i ddweud gair arall.

'Ddim am y gwaith wy'n becso . . .' mentrodd.

Trodd Owain yn araf i'w hwynebu.

'Sa i'n deall,' atebodd, er ei fod e'n amau ei fod yn deall yn rhy dda.

'Sa i'n siŵr am Tracy . . .' meddai Alys. 'Sa i'n moyn 'i gweld hi'n troi dy ben di fel . . .'

'Fel beth?' caledodd ei lais.

'Fel nath Eleri . . .' mentrodd Alys, gan obeithio y byddai ei henwi hi'n ddigon o rybudd i wneud iddo ailfeddwl.

Teimlodd Owain bob gewyn yn tynhau yn ei gorff. O'dd raid i'w fam ddistrywio popeth?

'Ti'n gwbod taw becso amdanot ti odw i . . .' dechreuodd ddweud, ar ôl gweld y gwaed yn llifo o'i wyneb a phryder yn llenwi ei lygaid.

Ond doedd Owain ddim yn gwrando. Roedd bellach yn brasgamu o'i golwg, ddwy ris ar y tro, gan wneud ei orau glas i ddal ei afael yn y cynhesrwydd braf roedd Tracy wedi'i blannu ynddo. Gwthiodd ddrws ei stafell ar agor, cyn ei gau a'i gloi y tu ôl iddo, mewn ymgais lew i gau gofid a galar, ac euogrwydd, yr ochr arall i'r drws.

9

'Cachwr! Cachwr!' roedd Sharon, mam Eleri, yn llafarganu'n greulon, gyhuddgar.

Wedyn, roedd Sharon wedi poeri arno ag atgasedd pur, a'i argyhoeddi mai arno fe roedd y bai fod Eleri'n gorwedd mewn arch yn y pridd coch. Yna roedd yr arch yn agor, ac wyneb a chorff Eleri'n dod i'r golwg. Roedd hi *wedi dechrau gweiddi arno wedyn, gan lefaru'r un geiriau, drosodd a throsodd. 'Cachwr! Cachwr! Cachwr!' Ac nid dim ond Eleri oedd yn gweiddi arno erbyn hynny, ond pawb oedd ym mynwent Bethel!*

Dihunodd Owain yn domen o chwys. Cododd ar ei eistedd yn ei wely, a theimlo'r tawelwch llethol yn drwm o'i amgylch. Dim ond yn ei ben roedd y gweiddi, fe wyddai hynny. Ond roedd yr hunllef yn fwy byw nag erioed, a'r ymdeimlad o ofn ac o wacter oedd wedi'i lethu y noson honno pan fachludodd yr haul yn belen o dân didostur uwch bedd Eleri, wedi dychwelyd i'w blagio a'i boenydio.

Ar ôl diwrnod swreal yr angladd, pan oedd Sharon, mam Eleri, wedi'i ddifenwi a phoeri arno yn y fynwent o flaen pawb, roedd y siarad a'r sibrwd wedi dechrau o ddifrif yn y Cwm. Y cwestiwn llosg oedd pam oedd Sharon wedi troi ar Owain mor greulon? Ai geiriau gwyllt menyw mewn galar oedden nhw? A honno'n fenyw arw ar y gorau? Ond ar y llaw arall, dim mwg heb dân, ys dywed y ddihareb. Ac yn waeth hyd yn oed na'r sibrwd a'r siarad roedd y dicter a losgai fel dau golsyn yn llygaid Sharon. Teimlodd ei dicter yn dal i'w ysu'r eiliad honno, a'r dicter bellach wedi troi'n gwlwm tyn o hunanddicter, yn bastwn y gallai ef ei gystwyo'i hunan ag e, nes ei fod yn gnawd coch. Yn goron ar y cyfan y diwrnod hwnnw oedd y panig yn llygaid ei fam wrth iddi ei dywys o'r fynwent ar frys â'i dad yn dilyn fel rhyw derier yn dynn ar eu sodlau. *Yr euog a ffy . . .* medd y ddihareb. Heb os, ym mynwent Bethel y diwrnod hwnnw, y plannwyd hedyn ei euogrwydd. O'r diwrnod hwnnw ymlaen, roedd wedi'i gael ei hun yn euog o achosi diwedd annhymig Eleri. Nid ei fod wedi dweud hynny wrth neb, na chyfaddef sut roedd e'n teimlo wrth yr un dyn byw. Wedi'r cwbl, sut gallai? Roedd arno ormod o gywilydd. A ph'run bynnag, wrth bwy y gallai gyfadde? Doedd e na'i ffrindiau – oedd yn fechgyn i gyd, heblaw am Eleri – ddim wedi arfer siarad am ofnau a theimladau. Siarad am rygbi, am syniadau, siarad yn ysgafn, chwerthin a rhegi a thynnu coes. Roedd ofnau ac ansicrwydd yn bethau roedden nhw'n eu cadw ynghudd. Pe bai ganddo frawd, falle y byddai wedi gallu ymddiried ynddo. Ond doedd ganddo'r un. Dim ond chwaer fach oedd ganddo – Megan – a doedd e'n sicr ddim am rannu ei ofidiau â hi!

Doedd e ddim chwaith am siarad â'i rieni. (Onid oedd ganddyn nhw ddigon ar eu plat beth bynnag, ar ôl mistimanars ei dad a hysterics ei fam, oedd yn rym rhy ormesol yn ei fywyd fel roedd hi, heb iddo roi rhagor o raff iddi?) Haws, felly, oedd cuddio dan fur o ddistawrwydd, a mynd i'w gragen yn llwyr. Onid dyna oedd yn gweddu i gachwr beth bynnag? Ac onid dianc a wnâi cachwr? Diolch i benderfyniad ei fam, roedd wedi gwireddu geiriau Sharon drwy ffoi eto, i Gaerdydd y tro hwn. Doedd dim cysur o gwbl yn y ffaith nad y fe oedd wedi gofyn am gael symud. Y gwir amdani oedd nad oedd e wedi protestio rhyw lawer chwaith, dim ond dilyn y llif, tra bod Megan wedi lleisio'i phrotest yn groch a thynnu pawb i'w phen. Doedd cachwr ddim yn protestio, oedd e? Roedd yn gwneud beth oedd hawsaf ar y pryd, sef yr union beth roedd e wedi'i wneud. Dim ond wedyn, pan oedd hi'n rhy hwyr, y daeth i sylweddoli nad oedd modd dianc na rhedeg rhag yr hunllef yn ei ben.

Estynnodd ei law at ei lwnc oedd yn dal yn boenus o dynn. Pesychodd, tagodd a chododd ar ei eistedd yng ngolau'r lleuad, oedd yn ymwthio'n gryfach heno o dan waelod y llenni. Cyneuodd Owain y lamp yn ymyl y gwely, cyn codi a cherdded dros yr estyll oer at y drych ar y wal. O gwmpas ei wddf gwelodd rimyn tywyll yn gylch anwastad, fel pe bai bysedd rhywun wedi gwasgu yno'n galed. Yn ddigon caled i'w dagu? Falle ddim. Roedd e'n dal yno . . . yn wahanol i Eleri. Roedd e'n rhydd i fyw ei fywyd, oni bai am yr atgofion a'r euogrwydd oedd yn ei erlid.

Roedd yr euogrwydd roedd wedi'i deimlo newydd ddyblu. Nid dim ond wyneb Sharon ac Eleri oedd wedi syllu arno'n gyhuddgar yn ei hunllef ddiweddaraf, ond wyneb Tracy hefyd. Roedd ei hwyneb hi wedi toddi'n un ag wyneb Eleri . . . a'r ddwy, bellach, wedi'i gael yn unfryd euog. Nid sŵn chwerthin dengar Tracy roedd wedi'i glywed yn yr oriau mân, ond sgrech ei gwatwar creulon yn ei anfon i uffern. Ai drwyddi hi roedd Eleri'n ei gosbi; wedi'r cwbl, onid cosb roedd cachwr a bradwr . . . a llofrudd . . . yn ei haeddu?

Dychwelodd i'r gwely dan grynu'n ddireol. Claddodd ei ben yn y gobennydd er mwyn ceisio dileu'r darlun hunllefus o Eleri'n dawnsio dawns angau o'i flaen. Tynnodd gwrlid y gwely'n dynnach amdano, ei rolio'i hunan yn belen fach, fach, a'i ddychmygu ei hunan yn diflannu'n ddim . . . yn cilio o fod. Ai dyna sut roedd Eleri wedi teimlo pan dynnodd y gwregys yn dynn am ei gwddf a neidio o ben rheilen y staer yn ei chartref? Ai dyna roedd hi am iddo fe ei wneud hefyd drwy ei annog i'w dilyn i ryw nos ddu nad oedd dychwelyd ohoni?

10

'Hei, ti'n blanco fi?'

Cyfrodd Owain i bump wrth dynnu anadl cyn troi i wynebu Tracy. Tracy liw dydd oedd hon, nid Tracy'r hunllef oedd wedi'i ddihuno yn yr oriau mân. Serch hynny, roedd arno ofn dod wyneb yn wyneb â hi. Gofyn y cwestiwn yn ddiniwed roedd Tracy wedi'i wneud, ond roedd ymateb cloff Owain wrth geisio gwadu yn ddigon i ddangos fod rhywbeth o'i le.

'O's rhwbeth yn bod?' holodd ar ei hunion.

Ysgydwodd Owain ei ben ymhen ennyd neu ddwy.

''Na'r ail waith i fi weld ti!' meddai Tracy, gan syllu i fyw ei lygaid.

'Sori,' meddai, gan osgoi'i hedrychiad treiddgar unwaith eto.

'Ows, be sy?' holodd Tracy yn llawn gofid.

Pam roedd rhaid iddi ei alw'n 'Ows'?

Dyna roedd Eleri wedi arfer ei alw (y hi ac ambell hen ffrind na welai bellach. Doedd e byth yn 'Ows' adre, am fod talfyrru ei enw fel'na'n cael ei styried yn hen arfer Seisnig, yn arbennig gan ei fam). Roedd yr enw 'Ows' yn atseinio'n ddi-baid yn ei ben yr eiliad honno.

'Hei? O's rhywun ga'tre? Ti ar yr un blaned â fi . . ?' holodd Tracy, mewn tôn oedd yn mynnu ymateb.

'Wy 'di blino!' atebodd Owain, yn fwy pigog nag oedd wedi'i fwriadu. Gwyddai ei fod yn ei gwthio oddi wrtho, am mai dyna roedd yn rhaid iddo'i wneud, o leiaf tan y câi drefn ar ei feddyliau dryslyd. Tynnodd ei fysedd yn wyllt drwy'i wallt wrth wylio'r siom yn lledu dros ei hwyneb. Roedd hi'n haeddu eglurhad, ond ble roedd dechrau? Sut yn y byd y gallai ddweud wrthi ei bod hi wedi cyfrannu at ei hunllef? Mai hi oedd yr olew oedd wedi cynnau'r tân oedd wedi bod yn mudlosgi y tu mewn iddo ers misoedd, ond a oedd bellach wedi troi'n goelcerth wenfflam oedd yn bygwth ei ddifa? Er nad y hi oedd wrth wraidd ei boen, roedd y cyfan yn dal yn rhy ddyrys i'w egluro. (Doedd e ddim yn rhy siŵr ei fod *e*'n deall beth oedd wedi digwydd iddo, heb sôn am ei egluro wrth unrhyw un arall!) Haws felly oedd dweud dim, heblaw rhyw sori pell, hyd braich, mewn llais cryg. 'Rhaid i fi fynd,' ychwanegodd yn swta, cyn troi ar ei sawdl a gadael Tracy yn edrych yn syn ar ei ôl.

'Anghofia fe, Trace. So fe werth e,' meddai Sheryl, ei ffrind, a fu'n dyst i'r cyfan. '*Moody bastard!*' gwaeddodd ar ei ôl.

Gwyddai Owain yr eiliad iddo gerdded i ffwrdd ei fod wedi ymddwyn yn waeth na chachgïaidd. Roedd wedi ymddwyn fel bastard hunanol, ac wedi creu rhagor o euogrwydd a fyddai'n siŵr o'i bledu yn yr oriau mân.

*

Roedd pen Tracy'n troi. Yn y cefndir roedd Harri Hanes yn pregethu, ond nid ei lais e a glywai – llais Owain.

Llais oedd mor addfwyn lai na phymtheg awr yn ôl. Roedd ei lygaid wedi syllu arni mor dyner, addolgar, fel pe bai'n methu cael digon ohoni. A heddiw, dyma fe'n ei hosgoi!

Ocê . . . roedd e wedi bod braidd yn hy . . . ond roedd popeth wedi bod yn iawn pan wrthododd hi fynd â phethau ymhellach. Doedd e ddim i'w weld wedi dal dig. Falle fod beth ddywedodd Sheryl yn wir, ei fod e'n un *moody*. Roedd e'n bendant yn un dwfn, oedd yn tueddu i gadw pethau iddo fe'i hunan . . .

'Tracy! Tracy! Wyt ti gyda ni heddi?'

O *shit*, roedd Harri'n edrych arni. Rhaid ei fod wedi gofyn cwestiwn iddi, ond doedd ganddi ddim syniad beth roedd wedi'i ofyn.

'Sori . . . Syr . . . *migraine* . . . Ffaelu canolbwyntio . . .' mentrodd ddweud, gan obeithio ei bod yn swnio'n hanner didwyll.

'Breuddwyd-eitis, weden i!' meddai Harri, yn gwneud sbort am ei phen.

Chwarddodd pawb, heblaw amdani hi. Cywilyddiodd fwyfwy pan ofynnodd Harri i swot y dosbarth ddweud wrth Tracy beth oedd y cwestiwn, a beth oedd yr ateb, hefyd.

Damiodd dan ei hanadl. Roedd yr *M.B.* newydd wneud ffŵl ohoni unwaith eto, ac o flaen pawb yn y dosbarth y tro hwn. A doedd neb yn cael gwneud ffŵl o Tracy!

*

Ddiwedd y prynhawn, roedd Owain yn disgwyl am y bws adref, ei ben yn troi ar ôl diwrnod o wersi roedd wedi talu llai a llai o sylw iddyn nhw wrth i'r dydd fynd yn ei flaen. Roedd hynny'n rhannol oherwydd blinder, ond roedd y prif reswm dros ei ddiffyg canolbwyntio'n pwyso'n erbyn wal gyfagos, yn disgwyl am y bws adref, ac yn talu'r un iot o sylw iddo. Naill ai doedd hi ddim wedi'i weld neu roedd hi'n ei anwybyddu ar bwrpas.

Sleifiodd gip i'w chyfeiriad i weld sut roedd y gwynt yn chwythu. Pan gyfarfu eu llygaid am eiliad, trodd ei phen i ffwrdd yn sydyn ac wedyn peidio â'i droi yn ôl! Gwyddai i sicrwydd bellach fod Tracy, yn ei geiriau hi, yn ei 'flanco'. Gwyliodd hi'n cerdded at y bws, ei bag ar ei hysgwydd, heb edrych i'w gyfeiriad unwaith. Roedd hi'n amlwg wedi anghofio popeth amdano. Wedi'i ddileu o'i byd. Golygai hynny fod ei ddilema drosodd ac fe ddylai fod yn teimlo rhyddhad . . . ond ai dyna roedd e'n ei deimlo?

*

''Di ca'l digon arnat ti'n barod?' holodd Megan, gan ddwyn darn o dost oddi ar blat Owain yn y gegin ar ôl ysgol.

'Beth?' atebodd Owain yn ddiamynedd.

'O't ti ddim yn ishte ar 'i phwys hi ar y bws!' pryfociodd Megan.

'Jyst gad hi!' meddai Owain, gan daflu gweddill y tost roedd ar hanner ei fwyta tuag at ei chwaer. 'Cymer hwnna 'fyd! Stwffa fe i dy geg fowr!' gwaeddodd, nes tynnu sylw eu mam oedd yn y gegin ganol.

'Be sy'n bod?' holodd honno, gan gamu i'r cefn er mwyn clywed rhagor.

'Cro'n tin Owain ar 'i dalcen . . . am ryw reswm!' corddodd Megan, gan wybod pryd i ffrwyno'i thafod, hefyd. Fynnai hi ddim awgrymu beth oedd yn corddi Owain, na'i fradychu i'w mam, am bris yn y byd.

Dihangodd Owain i'w stafell, rhag i neb holi rhagor o gwestiynau lletchwith iddo. Penderfynodd ymdaflu i'w waith, ond gwaith na fyddai'n ormod o dreth, gan ei fod yn teimlo'n wirioneddol flinedig erbyn hyn. Estynnodd am y nofel roedd i fod i'w hastudio fel rhan o'i gwrs Safon Uwch a'i orfodi ei hun i setlo a dechrau ei darllen:

Mi a i ofyn i Fam Huw gaiff o ddwad allan i chwara. Gaiff Huw ddwad allan i chwara, O Frenhines y Llyn Du? Na chaiff, mae o yn ei wely a dyna lle dylet titha fod, yr hen drychfil bach, yn lle mynd o gwmpas i gadw reiat 'radeg yma o'r nos.

Diawliodd y ffaith fod y nofel hon eto wedi'i sgrifennu gan un o'r Gogs! Fe gymerai ddwywaith yn hirach iddo'i darllen na phe bai yn ei dafodiaith ei hun. Ond daliodd ati, am fod ganddo dasg i'w chyflawni'n seiliedig ar y nofel cyn pen pythefnos. Gorfododd ei hun i ymgolli yn y stori, a chau pob peth arall mas.

Yn raddol, roedd yn dechrau arfer â'r iaith ddieithr a'r bobl ryfeddach fyth oedd yn byw dan gysgod y lleuad, ar ryw ddibyn tragwyddol, heb fawr o reolaeth drostyn nhw eu hunain na'u ffawd. Yna, sylweddolodd rywbeth roedd wedi bod yn hanner ymwybodol ohono cynt, ond heb ddeall ei arwyddocâd. Roedd hi'n noson leuad lawn y noson cynt, pan fu'r hunllef ar ei gwaethaf. Dyna'r adeg roedd popeth ar ei fwyaf dwys – neu dyna roedd wedi cael ar ddeall, o leiaf. Dyna pryd roedd pob ymateb yn fwy eithafol, a dyna pryd roedd y gwallgo'n fwy gwallgof fyth. Roedd y nofel yn tyfu'n fwy perthasol fesul eiliad. Darllenodd ymlaen gydag awch:

Huw oedd yn deud wrth Moi: Pam mae pobol yn crogi'u hunain dwed?

Am eu bod nhw o'u coua, siŵr iawn, meddwn inna.

Esgob, mae'n rhaid ei fod o'n brifo pan mae'r rhaff yn gwasgu am dy wddw di, medda Huw.

Na, dydi o ddim yn brifo llawar, medda Moi.

Hy, sut gwyddost ti?

Mae'n ddigon hawdd crogi dy hun os wyt ti eisio. Dim ond hongian cortyn a chwlwm dolan arno fo ar frig coedan neu rywbath felly a sefyll ar ben carrag neu rywbath, a rhoid y cwlwm dolan am dy wddw a neidio oddiar y garrag. Mi driais i, dest am sbort, yn y tŷ bach yng ngwaelod yr ardd unwaith, dest i gael gweld. Rhoid cortyn a chwlwm dolan arno fo tu ôl i'r drws a rhoid cwlwm dolan am fy ngwddw. Wnes i ddim neidio oddiar ddim byd, dim ond cwrcwyd a gadael iddo fo wasgu am dipyn bach. Mae'n ddigon hawdd.

Yn rhy hawdd o lawer, barnodd Owain! Unwaith eto, roedd wyneb Eleri'n mynnu nofio o flaen ei lygaid.

A oedd *hi* wedi'i chael hi yr un mor hawdd penderfynu ei bod am ei chrogi ei hun? A oedd *hi* wedi dioddef poen wrth wneud? Neu ai dianc rhag poen arall roedd hi wedi'i wneud? Rhag poen anferthol oedd yn gryfach ac yn ddwysach nag unrhyw boen a achosid gan wregys yn ei thagu a gwasgu ei hanadl einioes ohoni? Cododd yr hen gwestiwn gorgyfarwydd a fu'n ei blagio cyhyd ei ben unwaith eto. Faint roedd e wedi cyfrannu at y boen honno? Beth yn union roedd Sharon wedi'i gyhuddo ohono ddiwrnod yr angladd? Roedd yn rhaid iddo gael gwybod, gan fod y cwestiwn yn ei ysu'n llwyr erbyn hyn, ac yn bygwth ei yrru'n gyfan gwbl o'i gof!

Yn sydyn, chwythodd bwlb y golau bach yn ymyl y gwely. Ond doedd hynny ddim wedi'i adael mewn tywyllwch, chwaith, am fod golau llwydaidd y lleuad, oedd fymryn yn llai llachar heno am ei bod wedi dechrau cilio, yn dal i daflu cysgodion ar y muriau. Penderfynodd roi'r gorau i ddarllen yn syth. Caeodd y nofel â chlep, cyn ei rhoi ar y ford fach yn ei ymyl. Yna, wrth gwato dan gwrlid y gwely, a'i dynnu'n dynn amdano, tarodd fargen â Duw, neu â phwy bynnag oedd yn gwrando . . . os oedd rhywun yno o gwbl, na fyddai eto'n twyllo, na chelu, na dweud dim ond hanner y gwir, na gwneud dim byd cachgïaidd fyth eto, pe bai ond yn cael noson ddihunllef o gwsg, heb i wyneb Eleri na Tracy nac Wncwl Now Moi, doddi'n un dan y lleuad, a'i watwar fel hen wrach.

11

'Sori am ddo',' meddai Owain yn benderfynol, gan swnio'n ddewrach nag yr oedd e'n teimlo mewn gwirionedd, pan welodd Tracy yn ystod egwyl y bore.

Wnaeth hi prin droi ei phen i'w gyfeiriad o gwbl. Dim ond syllu i ryw wagle o'i blaen, a'i gadw yno'n aros am ymateb. Aros nes bo'r tawelwch yn fur lletchwith, annioddefol bron, rhwng y ddau.

'Sori am beth?' holodd Tracy'n oeraidd ymhen ychydig.

'Am fod mor swta . . . O'n i heb gysgu . . .' dechreuodd ymddiheuro.

'Ti'n acto fel *prat*!' torrodd ar ei draws.

'Odw! A wy'n flin! O'n i ar fai yn d'ypseto di . . .' meddai'n gwbl ddidwyll.

'*Too right*!' atebodd Tracy, gan droi i edrych arno'n gyhuddgar.

Llyncodd Owain yn galed. Doedd e ddim wedi disgwyl iddi fod mor galed â hyn arno.

'Alla i brynu coffi i ti?' gofynnodd ymhen ychydig. 'Licen i egluro . . .'

Ebychodd Tracy, a throi oddi wrtho unwaith eto.

'O, ie, clico dy fysedd, a ti'n meddwl fydda i'n rhedeg! Beth yw dy gêm di?' gofynnodd gan droi'n ôl i syllu i fyw ei lygaid.

'Dim. Licen i siarad, 'na i gyd! Plîs?' erfyniodd, gan ei ddamio'i hun pan glywodd nodyn despret yn llithro i'w lais.

'Falle,' meddai, ar ôl i ragor o eiliadau poenus lithro heibio. Yna trodd Tracy a cherdded yn benuchel oddi wrtho.

Gwyliodd Owain hi'n mynd. Doedd e ddim am weiddi ar ei hôl, ond roedd e'n benderfynol o roi cynnig arall arni. Roedd hi'n bwysig ei bod hi'n gwrando arno, a'u bod nhw'n dod i ddeall ei gilydd. Roedd hi'n haeddu eglurhad – o ryw fath. Allai e ddim â diodde byw gyda'r euogrwydd o fod wedi siomi Tracy hefyd.

Y pnawn hwnnw, gwelodd Owain hi'n eistedd ar ei phen ei hun yng nghornel y llyfrgell, ei phen yn pwyso ar ei llaw dde wrth iddi geisio canolbwyntio ar ei darllen. Gwyliodd hi am funud neu ddwy cyn mentro ati.

'Fi'n gwitho!' sibrydodd Tracy dan ei hanadl, heb droi ei phen.

'Plîs, Tracy. Ma' *rhaid* i fi esbonio rhwbeth!'

Wedi eiliadau poenus o'i gadw'n aros, trodd Tracy'n araf tuag ato. 'Dwy funed!' meddai'n ddiamynedd.

'Ond ddim fan hyn . . .' atebodd Owain yn gyflym.

Rholiodd Tracy ei llygaid ac roedd ar fin troi oddi wrtho unwaith eto pan bwysodd Owain yn nes, a gostwng ei lais, nes ei fod yn sibrwd yn ei chlust, bron.

'Ti yw'r ferch gynta i fi ei chusanu . . .'

'O ie? Reit!' chwarddodd yn anghrediniol ar ei draws.

'Ers . . . ers i'n hen wejen i . . . farw . . .' meddai.

Yn sydyn, teimlai Owain fel petai'n sefyll yn noeth yn y llyfrgell, heb unman i guddio. A dim ond hanner y gwir roedd wedi'i ddatgelu.

Roedd Tracy'n fud. Beth bynnag roedd hi wedi disgwyl ei glywed, nid dyna oedd e.

'Fi'n sori i glywed 'na,' meddai'n dawel.

Dilynodd saib anghysurus, gyda Tracy, am unwaith, yn ansicr beth i'w ddweud nesaf.

'Falle taw 'na pam 'nes i gyment o gawl o bethe,' eglurodd. 'Ddim bod e'n esgus dros fod mor whit-what,' meddai, gan droi ar ei sawdl er mwyn mynd o'i golwg cyn iddo wneud rhagor o ffŵl ohono'i hun.

'*OK*, newn ni siarad . . !' cytunodd Tracy ar ôl iddo gymryd ychydig gamau oddi wrthi.

Stopiodd Owain yn stond.

'Ar ôl ysgol,' meddai Tracy wedyn.

Llifodd ton o ryddhad yn gymysg â phryder drwy wythiennau Owain.

*

Am Starbucks yn y dre roedden nhw'n anelu. Roedd goleuadau'r stryd ynghynn a'r nos hydrefol, aeafol bron, yn cau amdanynt. Roedd yn deimlad rhyfedd, y nhw eu dau, yn cydgerdded gyda'r nos, er nad oedden nhw ar ddêt, ddim yn yr ystyr gonfensiynol, beth bynnag. Roedd y ddau'n dawedog, yn teimlo'r angen i siarad, ond yn gwybod hefyd ei bod hi'n well iddyn nhw gamu o oerni'r stryd swnllyd i glydwch y caffi, cyn dechrau siarad o ddifrif.

'Sori os o'n i'n . . . ti'n gwbod . . .' meddai Tracy, rhwng sipiadau gofalus o'r ddiod siocled oedd yn bygwth llosgi ei thafod.

'Sda ti ddim byd i weud sori amdano,' mynnodd Owain, gan ei gwylio'n betrus. Roedd y dwyster a welai yn ei llygaid yr eiliad honno'n ei ddenu lawn gymaint â'r chwerthin direidus oedd ynddyn nhw'r noson o'r blaen. Sylweddolodd Owain ei fod yn syllu arni eto. Gwnaeth ei orau i beidio â gwneud hynny. Canolbwyntiodd ei holl sylw yn hytrach ar ddechrau egluro. 'Ddylen i fod wedi bod yn streit â ti cyn hyn,' ymddiheurodd.

'Ti wedi gweud nawr . . .' meddai Tracy, gan synhwyro'i anghysur a helpu i lenwi'r tawelwch poenus oedd rhyngddyn nhw.

Dechreuodd Owain deimlo'n fwy gobeithiol. Falle nad oedd wedi colli Tracy'n llwyr wedi'r cwbl, a bod modd mynd o gam i gam.

'A fi'n gwbod ble fi'n sefyll,' meddai Tracy, gan dorri ar draws ei feddyliau. 'Allwn ni ddim mynd mas 'da'n gilydd achos bo ti'n sdyc. Yn meddwl amdani hi o hyd . . .' ychwanegodd, gan dagu'r egin gobaith roedd Owain wedi'i deimlo yn y bôn.

Trawodd ei geiriau e fel ergyd.

'Ti'n ffaelu edrych arna i heb feddwl amdani, wyt ti? 'Na pam o't ti'n syllu arna i y noson 'na yn dy stafell di. A ti'n syllu arna i nawr. Ti'n trio gweld 'i hwyneb hi yn 'y ngwyneb i.'

Roedd Owain yn fud. Roedd Tracy *yn* gallu ei ddarllen ei feddyliau, ac yn ei ddeall yn well nag yr oedd yn ei ddeall ei hun!

'Ond gallwn ni fod yn ffrindie . . . dim probs, ond i ti fod yn onest 'da fi!' meddai wedyn, cyn cymryd sip arall o siocled o'r cwpan roedd hi'n dal i'w fagu yn ei dwylo.

Gwyddai Owain fod angen ffrind arno . . . un y gallai siarad â hi . . . un oedd yn barod i'w dderbyn fel roedd e, cyhyd â'i fod e'n peidio ag ymddwyn fel . . . fel beth galwodd ei ffrind e? *Moody bastard*?

'Ie. Gewn ni fod yn ffrindie,' meddai'n dawel o'r diwedd, yn ffaelu â chuddio'r ffaith ei fod fymryn yn siomedig na allen nhw fod yn gariadon. Er bod yna elfen o ryddhad yn hynny hefyd. Roedd Tracy wedi tynnu baich mawr oddi ar ei ysgwyddau. Os mai dim ond ffrindiau roedden nhw, fyddai ganddo lai . . . na, fyddai ganddo ddim byd o gwbl i deimlo'n euog yn ei gylch. Yn well na hynny, gallai ddatgelu rhagor o'r gwir wrthi, gan na fyddai'n canolbwyntio ar drio gwneud argraff arni er mwyn ei denu'n gariad. A thrwy hynny, gallai gadw'r fargen roedd wedi'i tharo â Duw, neu bwy bynnag oedd yn gwrando'r noson cynt, pan ddywedodd na fyddai'n twyllo na bodloni ar ddweud dim ond hanner y gwir byth eto, pe câi noson esmwyth o gwsg. Roedd wcdi cael ei ddymuniad neithiwr. Ac roedd Tracy wedi bod yn barod i wrando. Roedd hi'n bryd iddo yntau, felly, gadw'i ochr e o'r fargen.

'Licen i weud popeth 'thot ti . . .' meddai, cyn iddo gael cyfle i gachgïo a newid ei feddwl.

'Sdim rhaid i ti,' atebodd Tracy, yn synhwyro'i ofn.

'Wy'n *moyn* gweud. Ddim jest marw nath Eleri . . .' eglurodd, wrth ynganu ei henw'n barchus, ofalus. 'Grogodd hi'i hunan ar felt ei gŵn llofft ar ôl neido o ben rheilen staer,' meddai.

'*Oh my God* . . .' Cododd Tracy ei llaw dros ei cheg. 'Ti ffindodd hi?'

Ysgydwodd ei ben.

'Ond falle taw fi welodd hi ddwetha,' meddai. 'Falle taw fi o'dd yr un alle fod wedi stopo hi . . .'

'Hei, wow nawr! Bet bod 'i theulu hi a phob un o'i ffrindie hi wedi meddwl yr un peth â ti. Ma' fe'n ofnadw i bawb pan mae ffrind yn lladd 'i hunan,' meddai, gan estyn ei llaw i gyffwrdd â'i fraich a'i rhwbio'n dyner.

'So ti'n deall,' atebodd Owain. A lle roedd e'n ymbalfalu am eiriau cynt, roedden nhw bellach yn llifo fel afon o'i geg. 'Fydde hi ddim 'di neud beth nath hi oni bai amdana i . . . achos tshetes i arni . . . Rhaid bo rhywun wedi gweud wrthi, achos gwplodd hi 'da fi'r wthnos wedi 'ny, trw decst!' meddai.

Ochneidiodd Owain, yn swp blinedig ar ôl gorffen ei gyffes, ynglŷn â sut roedd wedi derbyn her y bois mewn parti pen-blwydd. Ac er bod Lisa wedi'i thaflu ei hunan ato, ac yntau wedi bod yn ffŵl dwl i feddwl y gallai gael noson gyda Lisa heb i Eleri ddod i wybod, doedd e ddim wedi aros am eiliad i feddwl sut byddai hi'n teimlo tasai hi *yn* dod i wybod. A heb unrhyw amheuaeth, roedd hi *wedi* dod i wybod. Pam arall fyddai hi wedi cwpla ag e mewn ffordd mor oeraidd?

Ac wedyn wedi cadw o'r ysgol am sbel a chadw o'i ffordd pan ddaeth hi'n ôl i'r ysgol ymhen rhyw wythnos. Roedd wedi trio siarad â hi, ond doedd hi ddim eisiau torri gair. O leiaf, ddim tan y noson olaf honno pan oedd hi'n daer am gael siarad . . .

'Ti'n meddwl grogodd hi'i hunan achos bo ti wedi tsheto arni?' holodd Tracy, ei thalcen wedi crychu i gyd, gan ei bod yn cael cymaint o drafferth i lyncu'r stori. 'So ti gyment â 'na o *God's gift*!' meddai, mewn ymgais i ysgafnu rhywfaint ar hwyliau Owain.

'Ma' rhaid taw 'yn fai i o'dd e,' mynnodd yn daer. 'O'dd 'i mam hi mor grac 'da fi ddwrnod yr angladd. Rhaid bod Eleri wedi gweud rhwbeth wrthi . . . gweud taw 'y mai i o'dd e i gyd!' meddai, bron yn ei ddagrau erbyn hyn.

'O'dd 'i mam hi'n torri'i chalon. Moyn beio rhywun . . . unrhyw un . . .' cynigiodd Tracy.

'Wedodd Eleri, y nosweth nethon ni siarad, bod hi ddim yn beio fi am ddim,' meddai, yn ysu am gredu'r geiriau, a'r cyfan roedd Tracy wedi'i ddweud.

'Wel 'na fe. 'I mam hi o'dd yn moyn neud i rywun arall deimlo mor wael ag o'dd hi'n teimlo.'

'Falle,' meddai'n ansicr. 'Ond pam a'th Eleri ga'tre a chrogi'i hunan ar ôl siarad â fi? Odd hi'n trial 'y nghosbi i?' gofynnodd.

'Lladd 'i hunan er mwyn cosbi rhywun o'dd hi ddim yn moyn rhagor? Rhywun gwplodd hi gyda fe drw decst! Cym on, Ows, so 'na'n neud sens!'

Roedd rhan ohono'n gwingo wrth ei chlywed yn siarad mor oer a chlinigol am Eleri. Ar yr un pryd, roedd hi'n cynnig math o bersbectif oedd yn lliniaru rhyw gymaint ar sut roedd e'n teimlo, er nad yn llwyr, chwaith. Ar ôl cario'i euogrwydd cyhyd, roedd hi'n anodd iawn ei ollwng o'i afael.

'Paid ca'l fi'n rong, o'dd beth nath hi'n *tragic*!' meddai Tracy, ar ôl synhwyro'i ansicrwydd. 'Ond ddim dy fai di o'dd e. O'dd hi'n dost. Wedyn stopa feio dy hunan!'

Nodiodd Owain cyn edrych arni am eiliad neu ddwy, ac ystyried yn galed a oedd hi'n ddoeth datgelu popeth wrthi'r funud honno, heb ymddangos yn ormod o ffŵl. Tynnodd anadl ddofn arall.

'Wy'n gwbod bo ti'n siarad sens,' meddai. 'Ond, y peth yw . . . wy 'di bod yn breuddwydo am Eleri. Ca'l hunllefe. Amdani hi ma'r hunllefe wy 'di bod yn ca'l. Ond o'n i ddim yn moyn gweud . . .'

Nodiodd Tracy gan ddangos ei bod yn deall.

'Alli di weud wrtha i nawr?' gofynnodd yn dyner.

'Wy'n dihuno ganol nos . . . yn teimlo fel 'se hi wedi twtsh â fi! Ac un nosweth, y nosweth fuest ti yn 'yn stafell i, ddihunes i 'da marce coch am 'y ngwddwg i . . .'

Oedodd Tracy am ennyd, cyn ymateb mor oeraidd o resymegol ag y gallai.

'Os fi'n gwitho'n hunan lan, *fi*'n ca'l rash rownd 'y ngwddwg hefyd . . .' meddai.

'Ti'n crynu 'fyd?' holodd Owain.

'Na, ond . . .'

'Ti'n teimlo'r awyr yn troi'n o'r o dy gwmpas di . . ? Fel 'se ana'l o'r yn whythu dros dy wyneb di?'

Ysgydwodd Tracy ei phen.

'O'n i ddim yn teimlo 'ny o'r bla'n. Dim ond ers i ni symud i'r tŷ 'na wy'n teimlo fel hyn,' meddai.

'Beth ti'n trio weud?'

'Beth os nag yw Eleri'n folon bo fi 'di dod i Ga'rdydd? Falle bod hi'n dishgwl i fi aros yn y Cwm. Mynd at 'i bedd hi'n amal . . . Beth os yw hi'n dala 'da fi . . . yn neud i fi ddihuno yn y nos? Achos *bod* hi'n 'y meio i a bod beth wedodd 'i mam hi'n wir!'

'Paid neud hyn, Ows! So fe *yn* wir!' mynnodd Tracy.

'Wy'n credu ti nawr. Ond ar ôl mynd ga'tre, fydda i ddim yn dy gredu di. Ac am dri o'r gloch y bore . . . fydda i ddim yn gwbod be sy'n wir a be sy ddim! Ma' cyment o gwestiyne . . . a dim atebion! 'Na pam ma'n rhaid i fi ga'l gwbod pam nath Eleri ladd 'i hunan. O'dd 'da fe rwbeth i neud 'da fi, ne bido?'

Edrychodd Tracy arno'n ofalus . . .

'Ti 'di siarad â rhywun am hyn?' gofynnodd Tracy.

Ysgydwodd Owain ei ben. 'Wedes i wrtho Mam bo fi 'di siomi Eleri. Ond 'na gyd nath hi o'dd gwylltu a gweud wrtha i nage'n fai i o'dd e. A bod hi ddim yn moyn clywed rhagor am y peth!'

'Grêt!' meddai Tracy'n goeglyd. Roedd hi'n dwlu fwyfwy ar Alys bob munud. '*OK*,' meddai, ymhen ennyd neu ddwy. 'Ti'n moyn atebion? Wy'n nabod rhywun all 'u rhoi nhw i ti.'

'Pwy?' holodd Owain yn syn.

'Anti Nancy.'

'Na!'

'Ows, ma' hi'n *psychic*. Ma' hi 'di helpu lot o bobol

i ga'l atebion i gwestiyne. Bydd hi'n gallu dy helpu di hefyd. 'Ffôna i hi nawr . . .' meddai, gan estyn am ei ffôn symudol o'i bag.

'Na! Paid! Plîs, paid!' meddai Owain, wedi mynd i banig llwyr.

'Pam?' holodd Tracy'n daer.

'Sa i'n nabod hi. Allen i ddim siarad â hi fel wy'n siarad â ti!' meddai Owain, yn teimlo'n ansicr i gyd unwaith eto.

'*OK*,' meddai Tracy'n bwyllog. 'Falle alla *i* helpu,' meddai, ymhen ennyd neu ddwy. 'Dere!'

12

Tynnodd Owain ddrws y ffrynt yn dawel ar ei ôl, gan wneud arwydd ar Tracy i ddechrau dringo'r staer.

'Owain?' gwaeddodd ei fam o'r cefn, cyn cerdded am y cyntedd. Damiodd Owain. Y peth olaf roedd arno'i angen oedd ymyrraeth ei fam, oedd yn gwgu'n oeraidd ar Tracy.

'Ma' Tracy a fi'n moyn *chat* . . .' meddai'n benderfynol. 'Yn breifat!' ychwanegodd, gan wylio'i fam yn anesmwytho.

'Wyt ti 'di byta?' holodd, gan chwilio am esgusion i'w gadw rhag mynd i'r llofft ar ôl Tracy.

'Odw,' meddai'n gelwyddog, gan ddringo'r staer.

Damiodd Alys yn dawel. Roedd gweld Owain yn ei chwmni *hi* eto, y ferch â'r *kohl* du am ei llygaid a wnâi iddi edrych yn hŷn na'i hoedran, yn dân ar ei chroen. Doedd hi ddim wedi cymryd ati o gwbl pan ddaeth yno am bryd o fwyd. Am nad oedd Owain heb sôn amdani wedyn, roedd wedi hanner gobeithio bod Tracy yn hen hanes. Ond yn amlwg roedd hi wedi camgymryd. Heno, teimlai fod Tracy yn fwy o fygythiad nag erioed. Roedd yna rywbeth rhyfygus, peryglus amdani. Teimlai fod y modd roedd hi'n syllu mor eofn i fyw llygaid rhywun, heb arlliw o swildod, yn ei hanesmwytho fwyfwy.

Roedd Alys, bellach yn argyhoeddedig bod Tracy'n ddylanwad drwg iawn ar Owain.

Yn y stafell fach ar y llawr uchaf, tynnodd Tracy bapur a siswrn a phiniau ffelt o fag.

'Yr unig beth sy ddim gyda ni yw *glass*,' meddai.

'Af i hôl un,' atebodd Owain, gan ddiawlio'n dawel y byddai'n rhaid iddo fynd i lawr i'r gegin ganol i gasglu gwydryn o'r cwpwrdd, a thrwy hynny, ddod wyneb yn wyneb â'i fam unwaith eto.

'Beth ti'n neud?' holodd honno'n siarp pan oedd Owain newydd agor y cwpwrdd yn ymyl y lle tân, ac estyn gwydryn ohono.

'Diod o ddŵr i ni'n dou,' meddai, gan feddwl yn sydyn ac estyn am wydryn arall, cyn anelu am y gegin fach a throi'r tap dŵr oer.

''Na i de neu siocled, os chi'n moyn . . ?' meddai Alys, yn dynn ar ei sodlau.

'Na. Fydd dŵr yn iawn . . !' mynnodd wrth iddo lenwi'r ddau wydryn.

'Pam ti'n defnyddio rheina, ta beth?' holodd yn amheus. 'Gwydre tal ti'n moyn i yfed dŵr!'

'Rhein o'dd wrth law,' meddai, ar dân i ddychwelyd i'r llofft. 'Sda fi'm potel o win yn 'yn stafell, os taw 'na beth ti'n ofni,' atebodd dros ei ysgwydd wrth weld ei fam yn gwgu arno'n amheus. Yna anelodd am y drws.

'Bydda'n garcus 'da nhw. Ma'r set yn gyfan ar hyn o bryd!' gwaeddodd ei fam ar ei ôl, wrth ei wylio'n pellhau oddi wrthi, ei holl fryd ar ddychwelyd at Tracy oedd yn aros amdano yn ei stafell ar y llofft. Diawliodd Alys yr hudoles yn dawel.

Erbyn i Owain ddychwelyd i'w stafell, roedd Tracy wedi diffodd y golau mawr ac wedi cynnau'r lamp fach yn ymyl y gwely. Ar y llawr, roedd cylch o sgwariau bach papur ac arnyn nhw lythrennau a rhifau, a'r geiriau 'IE' a 'FALLE' ynghyd â marc cwestiwn yn eu plith. Yfodd Owain wydraid o ddŵr ar ei ben.

'Defnyddia hwn,' meddai, gan estyn ei wydryn gwag i Tracy gael ei roi ben i waered yng nghanol y cylch.

'Ti'n siŵr am hyn?' gofynnodd hithau.

Nodiodd Owain a phenliniodd y ddau ar y llawr o amgylch y cylch.

'Rho dy fys ar y *glass* yn ysgafn, ond dim gwthio,' siarsiodd Tracy.

Ufuddhaodd Owain. Pan welodd Tracy'n cau ei llygaid, gwnaeth yntau'r un peth.

'Oes rhywun yna?' holodd Tracy ymhen ennyd neu ddwy, ei llais yn dawel ac yn ansicr, braidd.

Pan ddigwyddodd dim byd, carthodd Tracy ei gwddf a holodd eto, yn uwch y tro hwn. Yn fuan, roedd y stafell yn oeri a'r gwydryn yn dechrau symud yn araf . . . Tynnodd Tracy ei hanadl yn gyflym a theimlodd Owain ryw ias yn gafael yn ei feingefn, cyn iddi gropian ar hyd ei asgwrn cefn, hyd at ei war ac wedyn at ei gorun. Wyddai e ddim ai ofn neu gynnwrf oedd yn achosi'r fath ias. Ofn potsian gyda rhywbeth doedd e ddim yn ei ddeall? Neu ofn cael atebion roedd e'n crefu amdanyn nhw ond yn ofni eu cael yr un pryd?

'Ti'n *OK*?' gofynnodd Tracy, wrth weld Owain yn gwelwi.

'Ma' fe'n symud!' meddai, gan osgoi ei chwestiwn.

'Ti'n siŵr bo ti ddim yn gwthio?' holodd Tracy.

'Odw! . . . Wy'n siŵr,' atebodd yn feddalach ar ôl sylweddoli ei fod wedi codi ei lais yn ddiangen ar Tracy.

Symudai'r gwydryn yn araf heb fod bys y naill na'r llall yn ei wthio, nes cyrraedd y darn papur ac arno'r gair 'IE'. Tynnodd y ddau eu hanadl.

'Pwy sy 'na?' holodd Owain, ei lais yn crynu. Roedd e'n disgwyl i'r gwydryn symud at y llythyren 'E'. Canolbwyntiodd ei holl sylw ar Eleri . . . ac ar y llythyren 'E' o'i flaen.

Ond nid i'r chwith y symudodd y gwydryn. Aeth i'r dde at y llythyren 'S'. *Beth*? Yna, aeth i'r chwith at y llythyren 'A' ac yn ôl i'r dde at y llythyren 'R', cyn dychwelyd yr un ffordd, fwy neu lai, at y llythyren 'A', a gorffen gyda'r llythyren 'H'.

'Sa i'n deall!' meddai Owain yn ddryslyd.

'Sarah,' atebodd Tracy.

Yr eiliad yr ynganodd ei henw, teimlodd egni oer yn ei tharo nes ei bod hi bron â syrthio. Pe bai'n sefyll, yn hytrach nag yn penlinio, fe fyddai ei choesau wedi rhoi oddi tani. Roedd hi'n groen gŵydd drosti, a gallai ei theimlo'i hun yn gwanhau wrth i rym oer nerthol afael ynddi – grym oedd fel pe bai'n sugno'i hegni, er mwyn bwydo oddi arno.

'Deimlest ti hwnna?' gofynnodd Tracy'n anesmwyth, wedi'i hysgwyd braidd.

'Do. Ond pwy yw Sarah?' holodd Owain yn ddi-ddeall.

'Pwy wyt ti, Sarah?' holodd Tracy, ei llais yn gryfach.

Symudodd y gwydryn eto, yn ôl ac ymlaen yn araf rhwng y llythrennau. 'M-o-r-w-m!' sillafodd.

'Beth?' holodd Tracy.

'Morwyn . . .' meddai Owain.

'O't ti'n byw 'ma?'

Llithrodd y gwydryn at y darn papur oedd yn cadarnhau hyn.

'Pryd? Pryd o't ti'n byw 'ma?'

'1-9-2-0,' atebodd drwy gyfrwng y gwydryn.

'Ti sy 'di bod yn neud y stafell 'ma'n o'r?' holodd Tracy wedyn.

Llithrodd y gwydryn yn rhwydd at y darn papur ac arno'r gair 'IE' unwaith eto.

'Pam?' gofynnodd Tracy'n ofalus.

Pam nad Eleri oedd wedi siarad ag e drw'r Ouija, oedd y cwestiwn oedd flaenaf ym meddwl Owain. Pam Sarah? Beth oedd gan Sarah i neud ag unrhyw beth? Roedd e'n teimlo'n fwy dryslyd a rhwystredig nag erioed, ac yn enbyd o siomedig.

'F-E . . .'

'Pwy?'

'D-A-V-I-E.'

'Pwy yw Davie?' holodd Tracy.

'M-I-S-H-T-I-R,' darllenodd Owain, gan deimlo ar ei union awel oer yn ei daro, nes ei fod bron â syrthio.

'Ydy Davie 'ma hefyd?' holodd Tracy'n ddryslyd.

'W-E-I-T-H-I-E,' sillafodd y gwydryn.

'Sut un yw Davie?' gofynnodd Tracy.

Sleifiodd y gwydryn yn wyllt hyd y llawr.

'G-W-A-L-L-T – T-Y-W-Y-L-L – L-L-Y-G-A-I-D– G-L-A-S' sillafodd.

'Ti'n meddwl Owain?' holodd Tracy, wrth iddi ddechrau sylweddoli bod rhywbeth ynglŷn ag Owain oedd yn denu Sarah ato.

Edrychodd Owain arni'n syn. Doedd y gwydryn ddim wedi symud, er bod llygaid Owain yn rhyfeddol o las a'i wallt yn ddu fel y frân.

'O't ti'n caru Davie?' dechreuodd Tracy holi wedyn, gan ganolbwyntio'i meddwl ar Sarah unwaith yn rhagor.

Cadarnahodd y gwydryn.

'O't ti a Davie yn gariadon?' gofynnodd Tracy.

Oedodd y gwydryn, cyn cadarnhau'n betrus. Dechreuodd y stafell deimlo'n oerach byth.

'Ond pam ti'n dod yma i weld Owain a neud 'i stafell *e*'n oer? Beth wyt ti moyn gyda *fe, Owain?*' pwysleisiodd Tracy. 'Ddim Davie yw e!' meddai, cyn teimlo rhyw gryd sydyn yn saethu drwyddi.

Arhosodd y gwydryn fan lle roedd.

Ochneidiodd Owain yn rhwystredig.

'Ma' hyn yn boncyrs,' meddai'n ddiamynedd.

'Falle bod hi'n chware 'da ni,' meddai Tracy.

'Beth?' holodd Owain mewn penbleth.

''Na beth ma' poltergeist yn neud. Dim ysbryd yw e, achos dyw e ddim erioed wedi byw ar y ddaear,' meddai'n wybodus.

Ond cyn i Owain ymateb, roedd y gwydryn yn symud eto, ar frys gwyllt, gan lamu at y darn papur ac arno'r gair 'NA'.

'*OK*! Os ti'n gweud . . .' meddai Tracy, heb fod yn rhy siŵr a oedd hi'n credu'r wybodaeth oedd yn cael ei chynnig bellach. Wyddai hi ddim beth i'w wneud nesaf. Edrychodd ar Owain a gweld ei fod yn amlwg yn siomedig. Doedd yr Ouija ddim wedi cynnig unrhyw atebion iddo ynglŷn ag Eleri, a dyna'r rheswm pam roedden nhw wedi chwarae'r gêm i gychwyn.

'Ydy Eleri 'na?' holodd Tracy'n betrus, gan edrych i fyw llygaid Owain i weld a oedd e'n hapus iddi ofyn y cwestiwn.

Nodiodd Owain yn nerfus.

'Ydy Eleri'n moyn siarad â ni?' holodd Tracy wedyn, yn fwy hyderus.

Dilynodd tawelwch llethol. Roedd y tensiwn a deimlai Owain yn drydanol, ond roedd y gwydryn yn aros yn hollol lonydd.

'Dyw hi ddim 'ma, Ows!' meddai Tracy'n ofalus, ar ôl i ryw funud dda o dyndra fynd heibio.

Roedd Owain ar fin ymateb pan ddechreuodd y gwydryn symud eto. Symudodd at y llythyren 'L'.

Tynnodd Owain ei anadl yn siarp. Weithie, fe fyddai'n galw Eleri'n Leri. Saethodd cynnwrf drwy ei gorff wrth i'w galon gyflymu unwaith yn rhagor. Dilynodd y gwydryn yn eiddgar â'i lygaid. Ond doedd e ddim yn symud at y llythrennau roedd yn disgwyl iddo symud atyn nhw.

'L-Y-D-I-A!' darllenodd Tracy, gan deimlo ton

arall o egni oer, llawer cryfach, yn ei thrywanu y tro hwn.

'Beth? Pwy yw Lydia?' holodd Owain yn llipa a siomedig, cyn teimlo hyrddiad cryf arall o awyr oer yn ei daro wrth iddo yntau hefyd ynganu'r enw.

'M-E-I-S-T-R-E-S,' sillafodd y gwydryn.

'Gwraig Davie?' holodd Tracy'n llawn diddordeb.

'IE.'

'*The eternal triangle,*' meddai Tracy gan ledwenu'n nerfus, cyn i chwa o wynt o rywle chwythu'r llythrennau i bob man.

Rhewodd Owain a Tracy yn eu hunfan.

13

'Liz . . . Alys . . .' meddai Penri, wrth i Liz, y pensaer, gamu i'r gegin ganol i drafod newidiadau posib i'r tŷ.

Wrth i Alys estyn ei llaw i Liz, crwydrodd ei llygaid o'i chorun i'w sawdl a'i chael yn smart ac yn ddinesig. Ond pan sylwodd fod mymryn o lwyd yn britho'r gwraidd ac yn bradychu lliw melyn perocseid ei gwallt, diolchodd yn dawel. Doedd hi ddim mor 'berffaith' yr olwg ag roedd hi wedi'i ddisgwyl.

'Neis cwrdd â ti,' meddai Liz yn gyfeillgar. 'Wy o Abertawe'n wreiddiol. Ddim rhy bell o Cross Hands,' eglurodd dan wenu.

'Byd bach,' meddai Alys, gan estyn gwên yn ôl.

'O'n i ddim 'di bwriadu aros 'ma, ond â i ddim o'ma nawr,' parablodd Liz.

'Ma' gobeth i ni gyd setlo, 'te,' meddai Penri. 'Megan sy'n 'i cha'l hi anodda,' esboniodd wrth i'w ferch gerdded i'r gegin ganol, ar ei ffordd i'r gegin fach.

'Ond wy'n siŵr neith hi setlo!' meddai Alys yn ffyddiog.

Oedd rhaid i'w mam siarad amdani, fel pe bai hi ddim yno? meddyliodd Megan. Roedd ei mam, yn amlwg, yn dal i gredu'i bod hi'n ddwyflwydd oed, yn analluog i siarad drosti'i hunan a heb ddeall yn union beth oedd yn mynd ymlaen yn y byd o'i chwmpas.

'Falle neith rhyw damed o foderneiddio 'yn helpu ni i gyd i ymgartrefu 'ma,' meddai Penri'n ddiplomatig, gan daflu cipolwg o'i gwmpas ar y gegin dywyll.

'Na! Sa i'n credu . . .' atebodd Megan yn herfeiddiol.

'Na, nei di byth setlo? Neu na, i foderneiddio?' holodd Penri mewn ymgais druenus i ysgafnu'r awyrgylch.

'Y ddou!' atebodd yn gadarn.

'Ti sy 'di bod yn achwyn bod hi'n o'r 'ma! Drycha ar y cracie rhwng yr estyll. Sdim ryfedd bod drafft yn dod o'r seilie!' mynnodd ei mam.

'Ma' lot o wres yn ca'l 'i golli fel'na,' meddai Liz, gan lygadu'r bylchau sylweddol rhwng estyll y llawr.

'A be sy 'di digwydd fan'na?' holodd, gan edrych ar y gornel lle bu Penri'n colbio'r pren oedd wedi pydru.

'Fi o'dd ishe gweld pa mor bwdwr oedd y pren,' meddai.

'Well ca'l llawr newydd, wy'n credu. Llawr o bren gole, falle. Neu lawr concrid a charped gole?' awgrymodd Liz yn frwd.

Roedd Megan bron â sgrechen. Pam nad oedd neb yn talu unrhyw sylw i'w barn hi? Clustfeiniodd yn ofalus i weld a oedd y tŷ am brotestio heno. A fyddai'r hen bren yn ymestyn a'r rheiddiaduron anwadal yn clician eu cwyn? A fyddai yna ddrws yn agor neu'n cau heb i neb fod wedi'i wthio? Neu a fyddai yna oerni eithriadol yn cau amdanyn nhw'n sydyn? Arhosodd yn ofer am ymateb yr hen dŷ. Er mawr syndod iddi, roedd rhif 45 yn gwbl dawel heno. A olygai hynny fod yr arwyddion protest roedd hi wedi sylwi arnyn nhw bob tro y byddai rhywun yn sôn am newid yr adeilad, yn ddim byd ond rhes o gyd-ddigwyddiadau diystyr wedi'r cwbl? Camodd yn ddigalon i'r gegin fach (gan ddal i glustfeinio ar yr hyn a gâi ei drafod yn y gegin ganol). Dyna pryd y clywodd ei mam yn ymddiheuro drosti.

'Plant!' ebychodd, gan led-chwerthin ar Liz, fel pe baen nhw'n ffrindiau pennaf. Ond roedd Megan yn gwybod yn iawn nad oedden nhw'n ffrindiau, ac na fydden nhw chwaith. Roedd hi'n adnabod gwên ffals ei mam yn ddigon da i wybod nad oedd ganddi fawr o feddwl o'r pensaer roedd ei thad wedi'i gwahodd i'r tŷ.

'Fydden i ddim yn gwbod,' oedd ateb ysgafn Liz. 'Wy'n ddibriod ac yn ddi-blant,' meddai dan wenu, yn gyntaf ar Alys, ac wedyn ar Penri.

Rhewodd y wên ar wyneb Alys. Gallai daeru bod Liz wedi edrych ar Penri eiliad yn fwy nag oedd yn rhaid wrth siarad. Dechreuodd Alys deimlo gewynnau ei holl gorff yn tynhau.

*

'Na. Allwn ni ddim trio 'to,' mynnodd Tracy.

'Ma' ofon arnot ti, o's e?' heriodd Owain.

'O's!' meddai Tracy'n onest. 'Ni ddim fod holi rhagor . . .'

'Ti'n siŵr taw dim pwff o wynt drw'r ffenest

whalodd y cylch llythrenne?' gofynnodd Owain yn gloff, yn gwybod yn iawn nad dyna'r gwir.

'O, ie, yr un gwynt nath symud y *glass* 'na. *Come off it*, Ows!' atebodd Tracy'n goeglyd.

'Dim ragor o Ouija 'te . . .' meddai Owain, yn teimlo'n gwbl oer a llipa, wedi i'r unig obaith oedd ganddo o gael atebion gan Eleri, chwalu'n yfflon.

'Ond ti'n gwbod un peth nawr . . .' meddai Tracy, gan roi ei llaw'n ysgafn ar ei fraich i'w gysuro.

'Beth?'

'Dyw Eleri ddim 'ma . . . Dyw hi ddim gyda ti. Ddim yn y ffordd o't ti'n meddwl. Mae wedi symud mlân!' meddai Tracy. 'Ma' rhaid i ti ad'el iddi fynd,' nododd yn garedig.

Dylai fod yn teimlo rhyddhad, ond doedd Owain ddim yn gwybod beth roedd e'n ei deimlo'r funud honno. Roedd e'n teimlo'n ffŵl, fe wyddai gymaint â hynny. Os nad Eleri oedd y tu ôl i'r hunllefau, beth oedd yn eu hachosi? Ai y fe oedd wedi creu'r cyfan yn ei ben? Oedd e'n dechre mynd o'i go'n llwyr? Doedd e ddim yn gwybod. Roedd e'n methu gweld yn glir o gwbl. Erbyn meddwl, roedd rhyw niwl yn dechrau ffurfio o flaen ei lygaid. Brathodd ei dafod yn galed i drio rhwystro'r dagrau oedd yn bygwth tasgu o gonglau ei lygaid. Ond yn ofer. Y peth nesaf, roedd e'n clywed sŵn anghyfarwydd yn llenwi'i glustiau. Ei sŵn e! Roedd ei holl gorff yn ysgwyd a'i ddagrau'n dechrau llifo'n ddireol. Teimlodd freichiau Tracy yn cau amdano'n dynn. Pwysodd arni, claddodd ei ben yn ei hysgwydd, a llefodd fel na lefodd ers blynyddoedd.

Ers ei fod yn grwtyn bach. Llefodd nes ei fod yn teimlo'n wag, ac nad oedd un deigryn ar ôl . . .

*

'Wy o blaid adnewyddu a chadw siâp y tŷ fel mae e am nawr,' meddai Penri.

'Anghofio am greu estyniad,' atebodd Alys, heb swnio'n or-frwd.

'Nage. Ond wy ddim yn moyn i ni orfod aros yn hir am ganiatâd. Ma' rhaid ca'l llawr newydd nawr. Newn ni gais am estyniad wrth 'yn pwyse,' esboniodd wrth Liz. 'Os wyt ti'n cytuno, Alys?'

Teimlodd Alys fod rhaid iddi gytuno, er nad oedd hi'n hollol siŵr chwaith.

'Allwn ni ddim byw 'da'r llawr 'ma fel ma' fe,' meddai Penri'n ddwys.

'Ddim ar ôl i ti ddechre codi estyll,' brathodd Alys yn ôl, gan syllu'n gyhuddgar braidd ar Penri.

''Na hwnna 'di setlo 'te,' meddai Penri yn ddi-hid. 'Gwydred o win i ddathlu!' mynnodd, gan droi at y cwpwrdd i estyn gwydrau.

'Pren gole, neu goncrid a charped, neu hyd yn oed deils. Be sy'n apelio?' holodd Liz.

Oedodd Alys, gan ddechrau teimlo'n od o ansicr, heb syniad beth i'w ddweud. Parablodd Liz yn fyrlymus. 'Cofiwch, fe alle fod lleithder dan y llawr,' meddai. 'Buodd llifogydd yn yr ardal 'ma flynydde'n ôl. A dyw'r arolwg chi'n ga'l wrth brynu tŷ ddim yn dangos y probleme i gyd – o bell ffordd!'

'Concrid falle i fod yn saff, neu lechi, wrth gwrs,' meddai Penri.

Dal i wgu roedd Alys ac fe sylwodd Penri.

'Ond well i ni ga'l golwg iawn ar y seiliau,' atebodd, rhag ofn bod angen tawelu ei meddwl. 'Fyddwn ni'n gwbod ble ni'n sefyll wedyn,' ychwanegodd, gan edrych ar Liz am gadarnhad.

'Dim problem. Alla i drefnu'r cwbwl.'

'Gwych. Wel, i'r gwaith adnewyddu 'te!' meddai Penri'n ffyddiog, gan godi ei wydryn o win coch.

Gwenodd Liz a chodi ei gwydryn hithau, yn barod i daro ymyl gwydryn Alys yn ysgafn. Yn sydyn, clywyd clec. Chwalodd gwydryn Liz nes bod y gwin oedd ynddo'n llifo'n rhaeadr goch dros y lliain bwrdd gwyn.

'Gest ti ddolur?' holodd Penri, gan edrych yn ofidus ar Liz. Ysgydwodd hithau ei phen.

'Wy'n iawn,' meddai, er ei bod yn amlwg wedi cael ysgytwad hefyd.

'A' i estyn un arall i ti nawr . . .' meddai Penri, gan droi at y cwpwrdd. 'Ma'r gwydre 'ma'n denau . . . A dyw Alys ddim yn sylweddoli 'i nerth!' meddai, mewn ymgais i lacio'r tyndra ffrwydrol oedd yn y gegin.

''Nes i ddim taro'r gwydryn . . .' mynnodd Alys, gan lwyddo i ryddhau ei thafod o'r diwedd. Roedd hi'n amlwg wedi cael llawn cymaint o ysgytwad ag roedd Liz.

Dechreuodd talcen Liz grychu mewn penbleth. 'Na finne chwaith. Wy ddim yn meddwl i fi wthio'n galed na tharo'n erbyn dim byd!' meddai'n syn.

'Dewch nawr, ferched,' meddai Penri, gan rhyw hanner chwerthin. 'So chi 'di ca'l diferyn 'to!'

'Ma' nhw'n iawn. Weles i fe 'fyd!' meddai Megan.

Trodd y tri i edrych arni.

'O le dest ti?' holodd ei mam, gan droi i wynebu Megan.

'O'n i'n sefyll man hyn,' atebodd Megan, gan fagu'i diod gynnes yn nrws y gegin fach. Llyncodd Megan yn galed. 'Pan 'yn ni'n trafod newid y tŷ, ma' rhwbeth wastod yn digwydd . . . wy 'di gweud 'thoch chi sawl gwaith!' taerodd.

'Gad dy ddwli!' wfftiodd Penri'n ysgafn.

'Pam whalodd y gwydryn,'te?' holodd Megan yn daerach.

'Damwen o'dd hi,' eglurodd ei thad yn bwyllog. 'Fe driwn ni 'to,' meddai, gan arllwys gwin i wydryn arall.

'Na, ddim i fi, diolch,' meddai Liz, gan ddechrau cilio o'r gegin. 'Well i fi fynd.' Yna oedodd a gofyn yn sydyn, 'Odych chi'n siŵr bo chi'n moyn i fi fwrw mlân â'r cynllunie?'

'Wrth gwrs,' atebodd Penri'n frwd. 'Sdim byd wedi newid o'n rhan ni. Megan fan hyn sy â dychymyg rhy fyw o lawer!' meddai gan chwerthin yn ysgafn.

'Iawn, 'te,' meddai Liz, gan wisgo'i gwên broffesiynol unwaith yn rhagor. 'Hwyl am y tro,' meddai, gan droi ar ei sawdl ac anelu am y drws.

Gwyliodd Alys ei gŵr yn hebrwng Liz allan, ei meddwl ymhell. Cydiodd yn ei gwydryn a dechrau sipian y gwin i weld a wnâi gynhesu ychydig arni. Roedd hi wedi oeri drwyddi, wedi oeri hyd at fêr ei hesgyrn.

'Mam?' holodd Megan a'i llais yn boenus. Trodd ei mam i'w hwynebu. 'Wy'n gwbod beth weles i. Nath y gwydryn 'na whalu o ran 'i hunan! A welest ti fe 'fyd! Naddo fe?'

'Sa i'n siŵr . . .' meddai Alys, gan sipian ei gwin, fe pe bai ei bywyd yn dibynnu arno.

'Wy'n siŵr!' taerodd Megan yn bendant. 'Beth os o's rhywun yn trio gweud rhywbeth wrthon ni? Am i ni bido twtsh â'r tŷ?' holodd yn bryderus.

'Pwy?'

'Y-y-sbrydion!' meddai, fel pe bai'n cael gwaith dweud y gair. Doedd hi dim yn siŵr pam, chwaith. Ai ofn y syniad bod yna'r fath beth ag ysbrydion yn bod yr oedd hi, neu ofn teimlo'n ffŵl gan mai dim ond hi o blith y teulu oedd yn credu o gwbwl ynddyn nhw?

'Megan, plîs! Tracy a'r hen fenyw 'na sy 'di bod yn llanw dy ben di â dwli. Dwyt ti ddim i siarad â'r un o'r ddwy 'to, ti'n clywed?' gorchmynnodd ei mam.

Yna clywyd sŵn gwydr yn chwalu.

'Beth o'dd hwnna?' neidiodd Megan.

Trodd llygaid nerfus Alys at y cwpwrdd llestri gorau yn ymyl y grat. Aeth draw ato ac agor y drws. Tynnodd o'r cwpwrdd ddau wydryn oedd wedi disgyn a thorri'n deilchion drwy daro'n erbyn ei gilydd, heb fod neb wedi'u cyffwrdd.

Edrychodd Alys a Megan yn syn ar ei gilydd. Bellach, roedd ar y ddwy ohonyn nhw ofn.

*

100

'Ti'n *OK*?' holodd Tracy.

Nodiodd Owain ei ben, er ei fod yn dal i deimlo'n gwbl lipa, ar ôl y gollyngdod mawr.

'Fyddi di'n well nawr,' meddai Tracy, gan godi ar ei thraed. 'Ma'n rhaid i fi fynd,' meddai.

Nodiodd Owain eto, a'i gwylio'n gwisgo'i chot mewn distawrwydd. Crwydrodd ei lygaid at y pentwr llythrennau ar lawr. Sylwodd Tracy.

'Tafla rheina. Neu wyt ti'n moyn i fi neud?' gofynnodd Tracy, gan ddechrau plygu i'w codi.

'Na, paid! Wy'n gwbod bo ti 'di gweud nag yw Eleri 'ma, a wy'n dy gredu di,' meddai. 'Ond ma' rhywun 'ma. Pwy yw Sarah? A Lydia? A Davie? Beth ma' nhw'n neud 'ma? Beth ma' nhw'n moyn?'

'Ddim fel hyn ma' ffindo mas. Ma' rhaid siarad ag Anti Nancy. Ma'n rhaid i ti ad'el hyn 'da fi!' gorchmynnodd.

'Iawn,' atebodd Owain, cyn hebrwng Tracy i lawr y staer a thros y trothwy i'r stryd mewn distawrwydd.

'Diolch. Am bopeth!' meddai, cyn rhoi cusan ysgafn ar ei boch; cusan o werthfawrogiad a chyfeillgarwch, dim mwy. Roedd y tyndra oedd wedi tyfu rhyngddyn nhw rhyw funud ynghynt wedi llacio, ac roedden nhw'n ffrindiau unwaith eto.

'Dim probs. Gweld ti fory,' meddai Tracy, cyn diflannu'n smotyn bach tywyll yn y pellter.

Camodd Owain yn ôl i'r tŷ, yn teimlo'n fwy unig nag roedd wedi'i wneud ers amser. Roedd e'n siomedig nad oedd wedi cael yr atebion roedd e'n dymuno. Pe bai'n onest, yr hyn roedd wedi'i gael oedd rhagor o benbleth, rhagor o gwestiynau i bendroni'n eu cylch.

Yna, tynnwyd ei sylw gan furmur lleisiau yn y gegin ganol. Clywodd lais Megan yn codi'n uwch na lleisiau'r lleill, er na allai glywed yn iawn beth roedd hi'n ei ddweud, chwaith. Eiliad yn ddiweddarach, roedd drws y gegin ganol yn agor yn sydyn a Megan yn rhuthro i'r cyntedd, gan sychu dagrau ei dicter ar lawes ei siwmper.

'Ti'n ocê?' holodd.

'Pam sneb yn gwrando arna i yn y tŷ 'ma?' mynnodd Megan.

'Be sy'n bod?'

'So ni fod 'ma. So'r tŷ yn moyn ni 'ma!'

'Pam ti'n gweud 'na?'

'Da'th y fenyw 'ma i gynllunio shwt i newid y tŷ. Whalodd 'i gwydryn hi heb bo neb wedi twtsh ag e!

'Pryd o'dd hyn?' holodd Owain.

'Gynne! Ac wedyn, pan wedes i bo fi'n credu bod rhywun yn trio gweud wrthon ni am bido twtsh â'r tŷ, cwmpodd gwydryn am ben un arall yn y cwpwrdd a fe whalodd y ddou. Ti'n cofio beth wedodd Tracy pan dda'th hi i swper? Nad o'dd ysbrydion yn lico gweld pobol yn newid y tai! Beth os nag o's neb yn ca'l newid y tŷ 'ma? Fydde fe'n egluro pam nag o's neb wedi twtsh â'r tŷ ers blynydde. A pham nag o's neb yn aros 'ma'n hir. Falle bo ni mewn peryg, hyd yn o'd. Ti 'di meddwl am 'na?' holodd, a'i llais yn codi i lefel hysterig.

'Pwylla am funed!' meddai Owain, cyn sylweddoli'i fod yn dechrau swnio fel ei dad.

'Ddim ti 'fyd! Cer o'n ffordd i!' gwaeddodd Megan yn siomedig, gan wthio heibio'i brawd a rhedeg i fyny'r staer i'w stafell.

Ysgydwodd Owain ei ben mewn penbleth. Beth ar y ddaear oedd yn digwydd?

14

'Falle'n bod ni 'di bod yn galed ar Megan,' meddai Alys. Roedd hi'n dal i deimlo'n fregus ar ôl i'r gwydryn chwalu mor ddisymwyth yn ei llaw. 'Mae'n amlwg yn credu bod rhwbeth rhyfedd yn digwydd yn y tŷ 'ma,' eglurodd, gan wylio'n ofalus beth fyddai ymateb Penri.

'Ti 'di gweud dy hunan bod hi'n barod i weud unrhyw beth i ga'l mynd o 'ma. 'Nôl i'r Cwm, os ceith hi . . . ble oedd hi'n hapus,' atebodd Penri ar ei union, heb ronyn o ansicrwydd nac amheuaeth.

Gwingodd Alys wrth glywed cymal ola'i frawddeg a theimlodd euogrwydd yn ei bwyta. Y hi yn anad neb oedd wedi mynnu eu bod nhw'n symud i Gaerdydd, ac i'r tŷ hwn, oedd yn estyn llai a llai o groeso iddyn nhw bob dydd.

'Ti'm yn credu bod unrhyw sail i beth ma' hi'n weud?' holodd Alys wedyn, yn dal i deimlo'n anesmwyth.

'Nagw!' mynnodd Penri, gan edrych arni'n syn. 'Alla i'm credu bo ti'n gofyn shwt beth. Sawl glased o win ti 'di ga'l?' holodd.

Lledwenodd Alys, gan deimlo rywfaint o ryddhad. Efallai mai ar ddamwain roedd sawl gwydryn wedi cael eu chwalu'r noson honno. Ond tybed ai cyd-ddigwyddiad llwyr oedd y ffaith bod ei hwyliau wedi gwaethygu cymaint ers iddyn nhw symud i'r tŷ? Roedd wedi colli rheolaeth drosti ei hunan sawl gwaith, wedi bod yn ddiamynedd gyda'i theulu heb fawr o reswm, ac wedi tyfu'n bryderus ac yn amheus o bawb a phopeth.

'Wy *yn* teimlo bod symud 'ma wedi bod yn fwy anodd nag o'n i'n ddisghwl,' mentrodd.

'Ti'n iawn. Ma' pawb wedi bod dan lot o straen,' cusurodd Penri. ''Yn ni 'di symud i dŷ sy angen mwy o waith nag o'n i'n feddwl. A ma' Megan ac Owain wedi symud am y tro cynta yn 'u bywyde. Sdim rhyfedd 'i bod hi'n whare'r diawl â ni ambell waith.'

Gorfododd Alys ei hun i nodio'i phen. Roedd popeth roedd Penri'n ei ddweud yn gwneud synnwyr. Roedd hi'n ddigon posibl mai straen oedd i gyfrif am ei hwyliau cyfnewidiol.

'Fe fydd popeth yn iawn, 'yn bydda nhw?' gofynnodd. Nid yr Alys siŵr o'i phethau oedd yn siarad bellach, ond Alys oedd wedi dechrau diosg ei chroen caled a dangos rhywfaint o'i hansicrwydd i'r byd.

Gallai Penri fod wedi manteisio ar yr ansicrwydd hwnnw. Ond wnaeth e ddim.

'Allwn ni ddim troi'r cloc 'nôl,' meddai. Allwn ni ddim fforddio gwerthu – ddim 'da prishe tai 'di cwmpo fel ma' nhw! Ni 'di neud 'yn gwely, ma' rhaid i ni orwedd yndo fe nawr!' meddai, gan sipian ei win fel dyn oedd wedi ildio i'w ffawd.

Nid dyna'r union ateb roedd Alys am ei glywed. Dan fantell y geiriau, synhwyrai ryw anfodlonrwydd dwfn yn Penri. Roedd e'n amlwg yn teimlo'n gaeth. Yn gaeth wrthi hi, efallai.

105

'Neud y gore o'r gwaetha,' meddai Alys, a'i llais fel plwm.

'Er mwyn y teulu,' ychwanegodd Penri, gan adleisio un o'i hoff ddywediadau hi, a chodi ei wydryn 'run pryd i sipian rhagor o win.

Fe ddylai Alys fod yn hapus ei bod wedi cael ei ffordd, wedi ennill y dydd. Wedi cadw Penri rhag rhedeg yn ôl i'r Cwm – er mwyn y teulu, fel roedd hi wedi edliw iddo droeon – ond roedd hi newydd sylweddoli nad oedd hynny'n ddigon. Roedd ei chalon fel plwm. Fel pe bai Penri'n lled-synhwyro'i hwyliau, gwnaeth fwy o ymdrech i swnio'n frwd ac yn sionc; ei ddiddordeb mawr mewn tai yn rhoi egni newydd iddo.

'R'yn ni'n mynd i wella'r lle 'ma, ti'n gwbod' meddai'n benderfynol. 'Wy'n ffaelu aros i godi'r hen lawr pren pwdwr 'ma,' meddai ag arddeliad, gan syllu i'r gornel lle roedd yr astell wedi hanner ei chodi.

'Paid codi rhagor o'r llawr 'na. Ddim heno, ta beth ti'n neud!' dwrdiodd Alys.

Cyn iddo gael cyfle i ateb, tynnwyd sylw'r ddau gan y ffaith fod y golau uwch eu pennau'n dechrau fflachio, fel pe bai ar fin diffodd, ond yn brwydro'n galed i aros ynghynn.

'Falle bod ishe newid bylb, ne bo'r pŵer yn wan,' meddai Penri.

'Falle,' cytunodd Alys yn llai sicr. Ar ei gwaethaf, roedd hi wedi dal clefyd Megan o chwilio am arwyddion bod y tŷ yn anfodlon iddyn nhw ei newid. Yna penderfynodd ei bod hi'n wallgof i hyd yn oed ystyried hynny. Sut y gallai cerrig a morter wgu a barnu, neu ddylanwadu?

Yna'n sydyn, cofiodd. Roedd *hi*, Tracy, gydag Owain ar y llofft! Cododd ar ei thraed yn wyllt.

'Ma' nhw wedi bod yn 'i stafell e ers amser!' cwynodd.

'Pwy?' holodd Penri.

'Owain a Tracy!' meddai Alys rhwng ei dannedd.

'Ma' Tracy wedi bod 'ma?' holodd Penri'n sionc gan wenu'n braf, yn amlwg yn hoff o ffrind newydd eu mab.

Pam oedd e mor hoff ohoni? Pam oedd Owain yn dwlu arni hefyd? Beth oedd yn bod ar y ddau?

Brasgamodd Alys yn wyllt i gyfeiriad y staer.

*

Roedd Owain yn ei gwrcwd ar y llawr. O'i flaen roedd y gêm Ouija y bu'n ei chwarae gyda Tracy. Doedd e ddim wedi difa na thaflu'r llythrennau na'r rhifau, na'r geiriau 'IE', 'NA' a 'FALLE', fel roedd Tracy wedi argymell. Yn hytrach, roedd wedi'u hailffurfio'n gylch, ac yng nghanol y cylch roedd gwydryn â'i ben i lawr. Rhoddodd Owain ei fys arno.

'Gna di'r un peth,' gorchmynnodd wrth Megan, oedd yn eistedd ar y llawr gyferbyn ag e â golwg ofidus ar ei hwyneb.

'Sa i'n siŵr . . .' meddai hithau.

'Ti 'di gweud bod rhwbeth od am y tŷ 'ma. So ti'n moyn gwbod be sy'n mynd mlân?'

107

'Odw, ond . . . sa i'n deall beth ni'n neud . . .' atebodd Megan, gan godi'i hysgwyddau'n ansicr.

'Fel ti 'di gweud dy hunan, ma'r tŷ 'ma'n trial siarad â ni. Moyn gweud rhwbeth wrthon ni. Rhwbeth pwysig, falle . . .'

'Ti'n credu bod e'n mynd i siarad â ni drw' hyn?' gofynnodd yn amheus, gan gyfeirio at y llythrennau ar lawr.

'So ti erio'd 'di whare'r Ouija o'r bla'n?' holodd Owain yn syn, fel pe bai chwarae'r gêm hon y peth mwyaf cyffredin dan haul.

Ysgydwodd Megan ei phen yn araf, heb sylweddoli'i fod yn ei bwlio drwy ei bychanu, er mwyn ei chael hi i ufuddhau i'w ddymuniad.

Roedd Owain yn teimlo rhyw fymryn yn euog, wrth weld ei chwaer yn crebachu o'i flaen. Roedd mwy o dân na hyn yn arfer perthyn i Megan.

'O's 'da ti well syniad shwt i ffindo mas pwy sy yn y tŷ 'ma 'te?' gofynnodd. 'Achos wy'n dy gredu di, ti'n gweld. Ma' rhywun ne rwbeth 'ma!' meddai. 'A ma' nhw'n moyn siarad â ni,' meddai, â'i lais yn garedicach erbyn hyn.

Cododd Megan ei hysgwyddau'n ansicr. 'Wy 'di gofyn i Dad ffindo mas pwy o'dd yn byw 'ma o'r blân,' meddai.

'A dyw e ddim wedi neud dim byd am y peth, reit?'

'Wel . . . ma' fe'n gweud bod e'n cymryd amser i ga'l gweld y gweithredo'dd . . .' atebodd yn amddiffynnol.

'Ond wyt ti'n hollol siŵr bod e wedi gofyn amdanyn nhw?' gofynnodd Owain yn amheus.

'Ti'n meddwl y bydde Dad yn gweud celwydd?' atebodd Megan.

Daliodd Owain ei dafod a gadael i'w dawelwch ddweud y cyfan.

'Dere! Rho dy fys ar y gwydryn,' anogodd yn dyner.

Yn betrus, ildiodd Megan a gosod un bys ar fôn y gwydryn gyferbyn â bys Owain. Caeodd ef ei lygaid a thynnodd anadl ddofn.

'Ody Sarah 'na?' gofynnodd.

Ymhen ychydig funudau, llithrodd y gwydryn yn araf at y sgwaryn papur ac arno'r gair 'IE'.

Neidiodd Megan mewn ofn nes bod ei bys yn ymadael â'r gwydryn.

'Wy 'di mynd yn o'r i gyd . . .' meddai'n groen gŵydd drosti.

'Rho dy fys 'nôl ar y gwydryn, ne weithith e ddim!' gorchmynnodd Owain.

Ufuddhaodd Megan, gan ailosod ei bys ar fôn y gwydryn.

'Wyt ti 'da ni, Sarah?' holodd Owain wedyn, yn fwy hyderus erbyn hyn, gan ei fod wedi llwyddo i gysylltu, heb help Tracy.

Cadarnhaodd y gwydryn ei bod hi yno.

'Pam ti'n dod i'r stafell 'ma, Sarah? Beth ti'n neud 'ma?' holodd Owain yn fwy caredig.

'B-Y-W-Y-M-A,' sillafodd y gwydryn yn araf.

'Na, fi sy'n byw 'ma!' meddai Owain, yn ddewrach nag roedd e'n teimlo. '*Ti* wedi marw.'

Saethodd y gwydryn ar ei union at y 'NA'.

'Ddim wedi marw?' holodd Megan yn grynedig.

'Ti wedi marw, Sarah!' meddai Owain yn benderfynol unwaith eto. 'Ti ddim yn berson cig a gwa'd. Allwn ni ddim dy weld di!' mynnodd, fel pe bai rhyw gythraul y tu mewn iddo'n dial ar Sarah am beidio â bod yn Eleri, neu am beidio â gadael llonydd iddo fyw ei fywyd yn y cartref newydd oedd i fod yn hafan, yn encil braf lle câi ddianc rhag ei broblemau.

Symudodd y gwydryn yn ôl at y 'NA' yn gynt ac yn ffyrnicach y tro hwn. Roedd yn symud mor nerthol nes iddo lithro o afael eu bysedd a tharo coes y ford fach yn ymyl y gwely â chlec uchel. Ymhen eiliad, roedd y gwydryn wedi chwalu'n ddarnau mân o wydr a hwnnw'n tasgu i bob cyfeiriad. Sgrechiodd Megan. Roedd hi'n crynu gan oerni a chan ofn.

'Sa i'n moyn neud hyn!' meddai, gan neidio ar ei thraed.

Yna, agorodd drws stafell Owain a chamodd eu mam i mewn heb guro. Sylwodd ar unwaith ar y pentwr llythrennau'n gorwedd yn anniben a'r darnau o wydr ar chwâl hyd y llawr. Gwelodd hefyd fod Megan yn crynu fel deilen, yn wyn fel y galchen â dagrau yn ei llygaid.

'Beth ddiawl 'ych chi'n feddwl chi'n neud?' holodd Alys yn wyllt.

'A ble ma' hi, Tracy?'

'Ma' *hi* wedi hen fynd,' meddai Owain, gan ddynwared goslef ei fam. 'Wrthododd *hi* gymryd rhan . . .' eglurodd wedyn. ''Na pam ofynnes i i Megan.'

Taflodd Alys gip sydyn ar Megan, gan chwilio am gadarnhad. Roedd Megan, am unwaith, yn fud. Ond, daliodd Owain i siarad.

'A fydde Megan ddim 'di mentro whare oni bai bo ti a Dad yn pallu gwrando arni. Pam nag 'ych chi'n gallu gweld 'i bod hi'n anhapus? Pam so chi'n gweld bod problem yn y tŷ 'ma?' gofynnodd, gan godi ei lais.

Gwyddai ei fod yn sianelu pob diflastod a rhwystredigaeth i gyfeiriad ei fam, ac roedd y cyfan oedd wedi cronni bellach yn ffrwydro i'r wyneb, yn union fel y gwnaeth y penwythnos cyntaf iddyn nhw ei dreulio yn y tŷ.

'Megan, cer lawr at dy dad, nawr!' gorchmynnodd Alys yn ddig.

Ufuddhaodd Megan, yn falch o gael dianc o'r stafell oer, ddigysur, er y teimlai ychydig yn euog am adael Owain i wynebu llid eu mam ar ei ben ei hun.

Eisteddodd Alys ar wely Owain. 'Ti'n credu bod dim ots 'da fi fod Megan yn anhapus?' holodd Alys yn anghrediniol.

'Pam na 'nei di ddangos 'ny? Gwrando arni pan ma' hi'n gweud nad yw hi ishe bod 'ma?'

'Wy'n gwbod y bydde'n well 'da hi fod 'nôl ga'tre gyda'i ffrindie,' meddai'n bwyllog. 'Ond faint o les fydde bod 'nôl yn y Cwm yn 'i neud i ti?' holodd, gan edrych i fyw ei lygaid.

O'r diwedd, fe drawodd y gwirionedd Owain fel bollt.

'Ma' fe'n wir, 'te. O'n achos *i* 'yn ni 'ma! Sda fe ddim byd i neud â Linda a Dad!' heriodd.

'O'dd dod i fan hyn yn well i ni gyd, fel teulu!' mynnodd Alys yn dawel, wedi pwyso a mesur ei geiriau'n ofalus. 'Yn ddigon pell 'wrth glecs pobol . . . i ni gyd ga'l dechre 'to . . .'

'Beth os nag o'n ni i gyd yn *moyn* rhedeg bant i "ddechre 'to"?' gofynnodd. 'Bydde'n well 'da fi fod wedi aros! Ffindo mas beth o'dd yn corddi Sharon. Gwbod yn gwmws beth o'dd hi'n 'y nghyhuddo i ohono!'

Gwelodd Owain Alys yn crebachu o'i flaen. Roedd yn gas ganddi gael ei hatgoffa o Sharon ac o Eleri ac o'r diwrnod hunllefus ym mynwent Bethel.

'Ma' pido gwbod yn 'yn lladd i. Yn 'y nghadw i ar ddi-hun yn y nos!' meddai wedyn.

'Hen bryd i ti ga'l tabledi,' atebodd Alys. 'Fe drefna i apwyntiad 'da'r doctor,' mynnodd, fel pe bai hynny'n ateb digonol i'r broblem ac yn gyfle perffaith i roi pen ar y sgwrs.

'Tabledi i neud i fi anghofio! I'n stopo i rhag meddwl, rhag teimlo dim byd?' ffrwydrodd Owain. 'Tabledi i'n rhwystro i rhag dihuno yn y nos a gweld marce coch am 'y ngwddwg i. Fel 'se rhywun wedi trial 'y nhagu i neu 'nghrogi i,' meddai, a'i lais dan straen.

'Ma' rhaid i ti stopo meddwl am beth ddigwyddodd i Eleri!' crefodd ei fam arno.

'Diolch i'r gêm 'ma,' meddai Owain, gan gyfeirio at y llythrennau ar lawr, 'wy'n gwbod nawr nad Eleri achosodd y marce. Dyw Eleri ddim 'ma. Dyw hi ddim yn 'y nghosbi i! Ond *wy*'n dala i deimlo'n euog. Heb wbod yn iawn pam. Dyw'r peth ddim yn neud sens!'

'Wedi meddwl gormod wyt ti,' awgrymodd Alys, mor bwyllog ag y gallai. 'Ma'n rhaid i ti anghofio am bopeth, ti'n clywed?' meddai, gan adleisio'r hyn ddywedodd hi wrtho'r noson gyntaf iddo gyfaddef ei euogrwydd dwfn wrthi yn y gegin ganol.

'Alla i ddim!' mynnodd Owain. 'O's 'na rwbeth dwyt ti ddim yn 'i weud wrtho i?' holodd. Doedd e ddim yn gwestiwn roedd wedi'i ofyn cyn hyn, ac roedd y braw sydyn a dasgodd i lygaid ei fam yn ddigon i'w argyhoeddi fod yna'n bendant rywbeth roedd hi'n ei guddio oddi wrtho.

'Ma' fe, nag o's e?' pwysodd wedyn, gan syllu i fyw ei llygaid.

'Nago's!' atebodd yn ffyrnig, gan osgoi ei lygaid a chodi oddi ar y gwely.

Teimlodd Owain ei dymer yn corddi y tu mewn iddo. Dyna hi eto, yn tagu pob trafodaeth â'i thymer wyllt. Teimlodd ei hun yn gwylltio fwyfwy.

'Reit, wel, wy'n mynd i fynd 'nôl i'r Cwm i ffindo mas, ac af i â Megan 'da fi os bydd rhaid, 'nôl at Mam-gu! Achos do's dim un o' ni'n dou'n moyn bod yn y tŷ 'ma ble ma' rhwbeth uffernol wedi digwydd! Alla i 'i deimlo fe . . .'

'Ma'r Tracy ddwl 'na 'di hwpo'i dwli i dy ben di!' meddai Alys, yn falch o'r cyfle i gael troi'r pwnc a hefyd i fwrw'i llid ar rywun arall.

'Pam o'dd y tŷ 'ma'n gyment o fargen?' holodd Owain. 'Pam o'dd neb arall yn moyn 'i brynu e?'

'Achos bod lot o waith i' neud arno fe,' meddai Alys, yn twymo at y ddadl. 'A ma' hi'n ddirwasgiad. Amser da i brynu tŷ!' mynnodd.

Ond ysgwyd ei ben wnaeth Owain. 'All neb fyw fan hyn,' meddai. 'Fydd neb byth yn hapus 'ma,'eglurodd, gan deimlo rhyw flinder a thristwch anghyffredin yn llifo drosto.

113

'Stopa'r dwli 'ma!' atebodd Alys yn chwyrn.
'A chliria'r annibendod 'fyd,' meddai'n ddig, gan
gyfeirio at y llythrennau ar lawr, cyn brasgamu am y
drws.

Yna oedodd, a thaflu un ergyd olaf yn oeraidd dros ei
hysgwydd. 'A gyda llaw, sa i'n moyn gweld y ferch
Tracy 'na'n t'wyllu'r drws 'ma byth 'to, ti'n clywed?'
meddai a'i llais yn galed ac yn oer.

'Tracy . . . Eleri . . . o't ti'n casáu'r ddwy, nag o't ti?'
gwaeddodd Owain ar ei hôl. 'Pam 'ny 'te? So ti'n moyn
i fi ga'l cariad? Ody 'na'n broblem i ti?'

Trodd Alys yn ôl i'w hanner wynebu. 'Paid ti mentro
rhoi gofid fel'na i fi 'to!' meddai Alys, yn dawelach y
tro hwn a'i llais yn llawn teimlad.

Ai deigryn welodd Owain yn tasgu'n sydyn i lygaid
caled ei fam, cyn iddi frysio o'i stafell? Oedd ei gwefus
isa hi wir wedi crynu? Neu a oedd wedi dychmygu'r
peth?

Sylweddolodd fod rhywbeth dwfn iawn yn corddi ei
fam, rhywbeth roedd hi'n gwbl amharod i'w ddweud
wrtho.

Ond beth?

*

'Hisht, hisht,' meddai Penri, gan dynnu Megan ato'n
dynn.

Eisteddai â'i fraich am ysgwyddau Megan, yn falch
o'r cyfle i'w chysuro unwaith eto, wedi'r pellhau mawr
a fu rhyngddyn nhw'u dau. Doedd hynny ddim yn

golygu ei fod e'n falch i'w gweld mewn cymaint o stad, chwaith. Doedd dagrau ddim yn dod yn hawdd i Megan. Roedd hi'n amlwg, felly, wedi cael profiad go ysgytwol ac yn teimlo'n fregus iawn o'r herwydd.

'Rhyw bethe digon rhyfedd yw'r gême Ouija 'ma,' meddai Penri. 'Gall unrhyw beth ga'l 'i weud – y peth wyt ti'n 'i ofni fwya, yn amal.'

'Ti erio'd wedi whare'r gêm?' gofynnodd.

'Na,' atebodd Penri. 'Ond wy wedi clywed am rai sy wedi bod yn potsian. A ma' sawl un yn meddwl taw egni'r bobol sy'n rhoi 'u bysedd ar y gwydryn sy'n 'i symud e mewn gwirionedd, er nad 'yn nhw'n sylweddoli 'ny ar y pryd. Ac os o's ofon ar rywun i ddechre, ma'r ofon 'na'n mynd i lywio pethe.'

'Ody 'na'n golygu fod pobol yn mynd i gredu pethe sy ddim yn wir?' holodd Megan.

'Falle . . .'

'Ti ddim yn credu bod ysbrydion yn trial siarad â ni drw'r gêm?' holodd.

'Pam? Wyt ti?' taflodd Penri'r cwestiwn yn ôl ati.

'Fe geson ni enw,' meddai. 'Sarah.'

Cyn gynted ag y dywedodd yr enw, teimlodd Megan yr un egni oer ag yr oedd wedi'i deimlo cynt yn cyhwfan o gwmpas ei chorun. Aeth yn groen gŵydd drosti eto. Ai ofn oedd wrth wraidd hynny, neu a oedd hi, drwy ynganu'r enw, yn galw Sarah ati?

'Pwy yw hi, Dad?' sibrydodd, gan deimlo'n ofnus unwaith eto.

'Wy 'di gweud wrthot ti – dy ddychymyg di sy ar waith, a dy ofne di greodd yr enw 'na!'

'So ti'n credu bod hi'n bod?'

'Nadw!' mynnodd ei thad yn bendant. 'Nawr yfa'r siocled 'na, i ti ga'l mynd i dy wely – *i gysgu!*' meddai wedyn, gan bwysleisio'r cymal olaf. 'Ma' ysgol 'da ti fory, cofia!'

Roedd Megan yn amau'n fawr a allai gysgu ar ôl y profiadau roedd hi wedi'u cael. Ond doedd dim diben trafod rhagor gyda'i thad. Nid yn unig roedd wedi cau ei feddwl i'r posibilrwydd fod yna rywun heblaw nhw yn byw yn y tŷ, ond roedd hefyd wedi siarad â hi fel pe bai'n blentyn bach unwaith eto.

Pan orffennodd ei diod siocled, cododd o'r soffa lle bu'n gorffwys ei phen yng nghesail ei thad funudau ynghynt, cyn gweiddi 'nos da' dros ei hysgwydd, a dringo'r staer yn araf a blinedig i'w stafell. Wrth gerdded, gwnaeth bob ymdrech i garthu'r enw Sarah o'i meddwl. Ond po fwyaf roedd hi'n ymdrechu, cryfaf oedd yr enw'n gafael ynddi, fe pe bai'n gwrthod gadael iddi fynd. Heb os, roedd Sarah eisiau cyfathrebu â nhw. Yr unig reswm pam roedd hi wedi torri'r cysylltiad oedd oherwydd bod Owain wedi'i chythruddo, drwy ddweud wrthi'n blaen ei bod hi wedi marw. Ac roedd Sarah, yn amlwg, yn credu ei bod hi'n dal yn fyw. Dyna pam, efallai, ei bod hi'n ffaelu'n deg â deall beth roedden nhw'n ei wneud yn ei chartref hi. Roedd hi'n ddigon posib ei bod hi'n eu gweld nhw fel tresmaswyr. Ac os felly, roedd hi'n rhesymol credu ei bod hi wedi bod yn trio'u herlid oddi yno, yn union fel roedd hi, fwy na thebyg, wedi erlid holl drigolion blaenorol y tŷ, yn denantiaid a pherchnogion, oedd i gyd wedi codi'u pac a mynd – wedi dianc am eu bywydau!

Yna trawyd hi gan syniad gwaeth fyth. Beth os oedd Sarah wedi'i chythruddo gymaint gan Owain nes ei bod yn dymuno gwneud niwed iddyn nhw? Beth os oedd ganddi'r gallu i wneud mwy nag agor a chau drysau, ddydd a nos, peri i luniau ddisgyn oddi ar y waliau ac i wydrau chwalu'n yfflon? Beth os oedd ganddi'r gallu i wthio rhywun i lawr y staer, neu beri i rywun ddisgyn dros reilen y landin nes taro teils caled, oer y cyntedd? Gallai cwymp fel'na fod, nid yn unig yn niweidiol, ond yn angheuol, hyd yn oed. Gan deimlo'n sâl, bron, gan ofn, rhedodd i'w stafell a chau'r drws yn dynn ar ei hôl.

15

Roedd Megan yn teimlo'n boeth, yn annioddefol o boeth. Bu'n troi a throsi am amser . . . yn hanner effro . . . yn hanner breuddwydio . . . heb fod yn rhy siŵr o'r gwahaniaeth rhwng breuddwyd a realiti. Roedd rhyw sŵn yn ei chlustiau, rhyw furmur pell roedd hi'n cael trafferth i'w ddeall.

Yna, yn sydyn, roedd hi'n gwbl effro a doedd dim sŵn i'w glywed yn unman. Cododd ar ei heistedd yn ei gwely. Roedd ei chorff ar dân a'i llwnc mor sych â'r Sahara. Doedd dim dewis ganddi ond codi i nôl diod, neu dagu. Gwthiodd y cwrlid yn ôl, gan ryfeddu'i bod hi'n teimlo mor dwym mewn tŷ oedd fel arfer mor anghysurus o oer! Rhoddodd ei llaw ar y rheiddiadur a chael ei fod yn boeth dân, yn dwymach nag oedd hi erioed wedi'i deimlo o'r blaen. Tynnodd ei llaw i ffwrdd ar unwaith a'i rhwbio yn ei gŵn nos, gan fod y gwres yn dal i losgi cledr ei llaw. Dyna ryfedd, meddyliodd. Roedd ei rhieni bob amser yn diffodd y gwres ar ddiwedd y dydd, er mwyn arbed costau. Sut yn y byd, felly, roedd y rheiddiadur mor boeth?

Daeth yn ymwybodol o dawelwch y tŷ o'i chwmpas. Dim ond y hi oedd yn effro ac roedd e'n deimlad unig. Tynnodd ei gŵn llofft amdani a chamu i'w sliperi, oedd wrth droed y gwely. Doedd hi ddim wedi codi a mynd lawr y staer yn ystod y nos ar ei phen ei hun yn y tŷ hwn o'r blaen, sylweddolodd. Doedd hi ddim wedi cael achos i wneud hynny a doedd hi'n sicr ddim wedi dihuno â'r fath syched ganol nos o'r blaen. Gwyddai'n reddfol fod heno'n noson wahanol iawn i'r cyffredin, er nad oedd ganddi syniad pam. Camodd o'r stafell a chynnau golau'r landin, cyn troedio mor ysgafn ag y gallai i lawr y staer bren, oedd mewn perygl o wichian eu protest dan y pwysau lleiaf. O'r diwedd, cyrhaeddodd waelod y staer heb ddihuno neb, roedd hi'n gobeithio. Cyneuodd olau'r cyntedd a cherdded i'r gegin ganol, gan estyn am y switsh yn y fan honno. Chwythodd y bwlb ar unwaith. Dim ond y llwydolau a gâi ei daflu o'r cyntedd oedd yn goleuo'i llwybr at y gegin fach, neu felly roedd hi'n tybio i ddechrau. Yn fuan, sylweddolodd fod yna rywfaint o olau'n dod o rywle arall hefyd. Ond nid o'r ffenest, lle nad oedd y llenni wedi'u cau'n dynn. Rhyw olau digon gwan oedd yn dod o'r fan honno, tra bod y golau roedd hi'n ei weld yn chwyddo ac yn cryfhau fesul eiliad. Sylweddolodd ei fod yn dod o gyfeiriad y lle tân.

Ond nid golau fflam a welai, chwaith, am nad oedd neb wedi cynnau tân yn y grat. Golau gwyn, llachar oedd hwn, yn tyfu nes ei fod o faint dyn. Yn y goleuni hwnnw gallai weld amlinelliad gŵr yn ffurfio o'i blaen, gŵr a chanddo bib yn ei geg. Tad-cu? Doedd bosib! Beth ddywedodd Nancy? Ei fod e'n gwylio drosti? Llyncodd Megan yn galed ac ymdrechu i reoli ei hemosiynau, oedd yn bygwth brigo i'r wyneb. Yna rhwbiodd ei llygaid er mwyn gallu gweld yn well.

O'r diwedd amlygodd y ffigwr ei hun yn ddigon clir iddi weld nad ei thad-cu oedd e. Dyn dieithr oedd hwn oedd yn estyn ei fraich tuag ati. Camodd yn ôl mewn ofn. Yna sylweddolodd fod ei law'n pwyntio i lawr at ei thraed, yn ceisio tynnu ei sylw at y llawr oddi tani. Edrychodd Megan i weld at beth roedd e'n pwyntio, ond doedd hi ddim yn gweld dim ar y llawr.

Cododd ei llygaid unwaith eto, ac roedd ar fin gofyn at beth yn union roedd e'n pwyntio, a beth roedd e'n ceisio'i ddweud wrthi, pan welodd fod y golau'n gwanhau. Roedd y gŵr yn cilio oddi wrthi, ac yna, cyn pen dim, roedd wedi diflannu'n llwyr, heb adael unrhyw arwydd iddo fod yno o gwbl.

Rhwbiodd Megan ei llygaid yn ffyrnig, gan ofni ei bod hi wedi breuddwydio'r cyfan, ac wedi bod yn cerdded yn ei chwsg. Ond gwyddai nad oedd hynny'n wir. Roedd hi'n gwbl effro, ac wedi bod yn effro ers rhyw ddeng munud, o leiaf. Yna sylweddolodd mor dywyll oedd y gegin ganol erbyn hyn, wedi i'r golau llachar ddiflannu. Trodd er mwyn estyn switsh y golau trydan, ond cyn iddi lwyddo i wneud hynny, clywodd ddrws y gegin ganol yn cau'n glep y tu ôl iddi. Roedd hi, felly, yn sefyll mewn tywyllwch, ar ei phen ei hunan, berfedd nos, mewn distawrwydd llethol, heb fod yn siŵr a oedd hi newydd weld drychiolaeth, neu ddyn o gig a gwaed, oedd wedi diflannu o flaen ei llygaid! Os taw dyn o gig a gwaed oedd e, rhesymodd, efallai ei fod yn cuddio yn rhywle arall yn y tŷ erbyn hyn. Trodd, a rhedeg er mwyn ailagor y drws oedd wedi cau mor ddisymwth arni yn y gegin ganol dywyll. Pe bai'n cyrraedd y cyntedd, fe allai weld yn glir, gan fod y golau ynghynn yn y fan honno.

Yna'n sydyn sylweddolodd, wrth iddi agor y drws, nad oedd hi ar ei phen ei hun. Neidiodd a sgrechiodd ar ei gwaethaf, yn crynu gan ofn wrth i gysgod ddod i gwrdd â hi.

'Megan, be sy?' holodd ei thad, gan roi ei freichiau amdani.

'O'dd rhywun 'ma,' meddai. 'Weles i fe. Fan'na . . !' ychwanegodd, gan bwyntio tuag at y lle tân. 'Ac wedyn . . . o'dd e ddim 'na . . .' meddai'n gloff.

'Pwy?' holodd ei thad yn ddiamynedd.

'O'n i'n credu taw Tad-cu o'dd e . . .' atebodd, gan sylweddoli'n sydyn mor hurt oedd ei geiriau, gan eu bod nhw i gyd yn gwybod bod Tad-cu wedi marw ers blynyddoedd. 'Ond ddim fe o'dd e . . .' eglurodd yn frysiog, gan wylio'r benbleth yn lledu dros wyneb ei thad.

'Be sy 'di digwydd?' holodd Alys yn wyllt ar ôl cyrraedd gwaelod y staer a rhwbio ôl cwsg o'i llygaid.

'Ma' Megan yn credu bod hi 'di gweld rhwbeth . . .' dechreuodd ei thad ddweud.

'Beth?' holodd ei mam.

'O'dd dyn yn sefyll fan'na . . .' meddai Megan.

'Beth? Dyn dierth yn y tŷ?' holodd Alys, wedi dychryn.

'O'dd e'n sefyll fan'na,' meddai Megan wedyn, gan bwyntio unwaith eto at y grat.

'A ble ma' fe nawr?' holodd ei thad yn sinigaidd, braidd.

'Ma' fe 'di diflannu.'

'A'th e heibo i ti?' holodd ei mam.

'Sa i'n siŵr . . .' meddai.

Taflodd Alys gip arall ar Penri, gan amneidio arno i fynd i weld, rhag ofn nad oedd Megan yn gwbl wallgof wedi'r cwbl. Aeth Penri'n betrus drwy'r gegin ganol i'r gegin fach i weld a oedd rhywun yn llechu yn y fan honno. Cyneuodd y golau a gweld bod y gegin fach yn wag.

'Beth am y stafello'dd erill?' holodd Alys, gan anfon Penri i'r stafell nad oedden nhw'n ei defnyddio, rhwng y gegin ganol a'r lolfa orau.

'Neb,' meddai Penri, pan ddychwelodd at y ddwy ar ôl edrych ym mhob stafell ar y llawr gwaelod.

'Ddiflannodd e o flân 'yn llyged i . . . fel 'se fe 'di troi'n ddim,' meddai Megan yn syn.

'Jyst fel Doctor Who!' chwarddodd ei mam, yn goeglyd. Roedd yr awgrym yn amlwg; doedd hi ddim yn credu gair roedd Megan wedi'i ddweud.

'Sa i *yn* gweud celwydde,' taerodd Megan. 'A sa i 'di dychmygu'r cwbwl, chwaith,' mynnodd. 'Wy'n gweud y gwir!' crefodd.

Ond yn amlwg, doedd yr un o'i rhieni'n ei chredu, ac roedd wyneb ei mam bellach yn bictiwr o ddiffyg amynedd.

'Cer 'nôl i'r gwely 'na nawr. A chysga!' gorch-mynnodd, yn union fel pe bai Megan yn bum mlwydd oed unwaith eto. 'A phaid ti â mentro trio tric fel hyn 'to, achos weithith e ddim, ti'n clywed? D'yn ni ddim yn mynd o'ma a 'na ddiwedd arni!' meddai'n gwbl bendant.

'Godes i achos o'dd syched arna i . . .' dechreuodd Megan egluro, ac yna tewi. Roedd wedi sylweddoli'n sydyn nad oedd hi'n sychedig o gwbl erbyn hyn. Yn hytrach, roedd hi'n oer ac yn crynu drosti. Roedd arni angen gwres, angen gorwedd yng nghlydwch y cynfasau. Ond cyn gadael y gegin, trodd a thaflodd un cip arall i gyfeiriad y lle tân, er mwyn ei bodloni ei hunan, o leiaf, nad oedd neb yn dal i sefyll yno.

Doedd neb yno, a doedd dim ôl neb chwaith. Heblaw am arogl annisgwyl . . .

'Beth yw hwnna?' holodd. 'Chi'n gwynto fe? Ma' rhaid eich bo chi . . .' parablodd, gan droi at ei rhieni.

Edrychodd Penri ar Alys. Nid dyma'r tro cyntaf iddyn nhw glywed arogl mwg ger grat y gegin ganol.

'Wel? Odych chi?' holodd Megan wedyn, yn benderfynol.

'Falle mai mwg stêl sy'n y grat o hyd,' meddai Penri.

'Dyw 'na'n golygu dim,' meddai'n bendant ei farn.

Ddim i ti, Dad, falle, meddyliodd Megan, wrth droi am y staer a dechrau'u dringo'n araf. Teimlai'n fwyfwy unig ac ynysig, a dryslyd nag erioed.

16

Dihunodd Owain yn sydyn, ei ben yn llawn sŵn byddarol. Roedd y gân 'Road To Hell' yn bloeddio drwy'r tŷ! Ond sut? Roedd pob peiriant wedi'i ddiffodd cyn iddo fynd i'w wely!

Cododd ar ei eistedd ac ymbalfalu am switsh y lamp fach yn ymyl ei wely. Roedd e'n fodiau i gyd, ond yn y man cyneuodd y bwlb cyn iddo ddiffodd mewn amrantiad! Crafangodd o'i wely gan ddilyn y golau gwan a lifai o dan y llenni. Roedd yn rhaid iddo gynnau'r golau mawr a diffodd y gerddoriaeth cyn y byddai'n deffro pawb yn y tŷ – a'r cymdogion hefyd! Ond pan bwysodd switsh y golau mawr, chwythodd bwlb hwnnw hefyd. Byddai'n rhaid iddo ddibynnu ar y golau gwan a lifai o dan lenni'r ffenest o'r stryd.

Ond yn sydyn, gwelodd hefyd fod yna olau gwan yn wincio arno ar sgrin ei gyfrifiadur. Dyna o ble roedd y gerddoriaeth yn dod, sylweddolodd o'r diwedd. Oedd yna unrhyw bosibilrwydd ei fod wedi anghofio diffodd ei gyfrifiadur cyn mynd i'w wely? Roedd hynny'n annhebygol iawn. Ac yn sicr fyddai'r peiriant ddim wedi medru chwarae cerddoriaeth am oriau heb ei ddihuno fe a'r holl dŷ! Gwyddai nad oedd wedi bod yn agos at y peiriant, oni bai ei fod wedi cerdded yn ei gwsg, ei gynnau ac wedyn wedi mynd yn ôl i'r gwely.

Roedd hynny'n gwbl annhebygol hefyd. Doedd e ddim chwaith yn gallu dychmygu y byddai neb mor wallgof â dod i'w stafell i chwarae cerddoriaeth am dri o'r gloch y bore!

Cyn iddo gael cyfle i ddiffodd y sŵn, clywodd leisiau'i rieni y tu allan i'r drws, yn gweiddi arno ac yn curo'r pren.

'Owain, Owain, beth ti'n neud?' gwaeddai ei fam drwy'r drws.

Gallai ei chlywed yn ceisio troi'r bwlyn er mwyn dod i mewn ond roedd hi'n amlwg yn methu ei droi.

'Owain, agor y drws 'ma nawr!' gorchmynnodd ei dad, yn amlwg dan yr argraff fod Owain wedi'i gloi.

Gwyddai Owain yn iawn nad oedd wedi cloi'r drws, felly pam yn y byd roedden nhw'n methu ei agor?

'Owain, Owain, ti'n iawn?' gwaeddodd ei fam mewn panig.

'Olréit, olréit,' gwaeddodd yn ôl, yn uwch na'r gerddoriaeth, roedd e'n gobeithio, gan ruthro at y drws cyn gynted ag y gallai. Estynnodd ei law i droi'r bwlyn er mwyn agor y drws, ond er mawr syndod iddo, roedd e'n gwrthod troi. Dechreuodd ei ysgwyd. 'Gadwch fynd!' gwaeddodd ar ei rieni. 'Wy'n trial 'i agor e,' gan dybio fod ei rieni'n trio troi'r bwlyn i un cyfeiriad, ac yntau'n ceisio'i droi i'r cyfeiriad arall. Byddai hynny'n egluro pam roedd y bwlyn yn gwrthod troi y naill ffordd neu'r llall. Gwnaeth un ymgais arall i'w droi, ond roedd yn gwrthod yn lân â symud. 'Gadwch fynd!' gwaeddodd eto'n wyllt.

'So ni'n twtsh â fe!' atebodd ei dad, wedi hen golli ei amynedd.

'Ma' fe'n sownd. Pallu troi!' bloeddiodd Owain yn ddiddeall.

Clywodd Owain lais Megan yn y cefndir.

'Be sy'n bod? Be sy'n digwydd?' holodd mewn panig.

Trodd Owain y bwlyn â'i holl nerth. Ond roedd e'n dal i wrthod symud. Roedd e, felly, yn gaeth yn ei stafell, â miwsig uchel, croch yn sgrechen yn ei ben ac o'i gwmpas, ac yn ei fyddaru. Beth yn y byd oedd yn digwydd?

'Pam 'yn ni mewn tywyllwch?' clywodd Megan yn gofyn y tu fas i'r drws.

'Achos bod y cwbwl 'di ffiwso,' meddai ei dad. 'Bydd rhaid i fi fynd lawr i droi'r *trip switch*!' eglurodd.

Os oedd y trydan wedi ffiwso, pam roedd y miwsig yn dal i chwarae mor uchel? Rhuthrodd Owain at ei liniadur. Dechreuodd symud y llygoden ond roedd hi'n gwrthod ufuddhau. Roedd e'n chwysu, er ei fod e'n oer, ac yn dal yn fodiau i gyd. Dechreuodd wasgu botymau. Ond doedd dim byd yn ymateb. Felly, cydiodd yn wyllt yn ei beiriant a'i droi ben i waered, ei guro a'i ysgwyd, nes bod y batri'n disgyn yn swp swnllyd ar ei ddesg.

O'r diwedd, tawelodd y sŵn a gallai ei glywed ei hun yn meddwl. Safodd yno, ar ei ben ei hun yn y tywyllwch, yn methu deall beth yn y byd oedd arwyddocâd y cyfan. Yna, heb iddo wybod pam, denwyd ei lygaid gan ryw olau gwan uwch ei ben. Yng nghysgod y golau hwnnw, gwelai fod rhywbeth yn hongian o'r nenfwd. Rhwbiodd ei lygaid er mwyn ceisio gweld yn gliriach, a chofiodd fod ganddo dortsh dan ei wely. Plygodd ac ymbalfalu amdani. Yna, llwyddodd i'w chynnau a'i anelu'n ffrwd lachar i oleuo'r cysgod oedd yn hongian o'r nenfwd.

Gwelodd fod drws bach yr atig wedi agor led y pen. Drws bach oedd wastad ar gau, am ei fod wedi'i selio'n dynn i atal drafft. Mewn gwirionedd, dylai fod yn amhosib iddo agor, felly. Ond yr eiliad honno, roedd yn hongian ar agor led y pen, yn gwichian wrth symud yn ôl ac ymlaen yn rhythmig yn y stafell fach onglog oedd bellach yn oerach nag y cofiai Owain iddi fod erioed o'r blaen.

Daeth yn ymwybodol o'r lleisiau y tu fas i'w stafell unwaith eto.

'Owain, ti'n iawn?' clywodd Megan yn gofyn. 'Gwed rhwbeth! Plîs!' crefai arno.

Ond doedd e ddim yn gallu yngan gair.

'Ma' rhwbeth yn bod. Fi'n gwbod bod rhwbeth yn bod!' clywodd Megan yn gweiddi'n uwch ochr arall y drws.

'Stop hi, Megan! Stop hi!' gorchmynnodd ei mam. 'Cer 'nôl i dy stafell. Sdim byd alli di neud fan hyn!' meddai mor bwyllog ag y gallai.

Trodd Megan a rhedeg i lawr y staer. Ond nid yn ôl i'w stafell yr aeth hi. Rhedodd i lawr i'r cyntedd. Taflodd ei chot amdani a diflannu i'r nos, cyn rhedeg a rhedeg nerth ei thraed i fyny'r stryd, nes cyrraedd drws derw mawr a churo arno'n galed.

Yn y man, agorodd, a chlywodd lais cyfarwydd yn ei chyfarch o'r cyntedd oedd mewn hanner tywyllwch.

'*Hello, Megan. I've been expectin' 'u!*'

17

Roedd golau'r landin ynghynn unwaith eto yn rhif 45. Ond gwelai Alys fod stafell Owain yn dal mewn tywyllwch.

'Penri! Rhaid i ti fforso'r drws!' meddai, pan welodd ben cyrliog ei gŵr yn esgyn y staer i'r ail lawr. 'Dyw Owain ddim yn ateb!'

'Wy'n mynd i drio'r bwlyn 'na 'to!' meddai Penri, gan gydio yn y bwlyn â'i holl nerth i'w droi – yn ddidraffeth y tro hwn! O ganlyniad, baglodd Penri i mewn i stafell Owain. Craffodd drwy'r lled-dywyllwch a gweld ei fab yn eistedd yn llonydd ar ei wely. Heb yngan gair, pwyntiodd Owain at y nenfwd. Edrychodd Penri ac Alys i fyny a gweld yr union olygfa roedd Owain wedi'i gweld yn gynharach. Roedd drws yr atig yn hongian ar agor.

'O'n i'n meddwl bod e 'di selio,' meddai Penri'n ddryslyd, gan dynnu bwlb o'i boced er mwyn goleuo'r stafell unwaith eto. 'Diffodd y switsh, nei di Alys?' gofynnodd, gan ddechrau dringo i ben cadair.

'Bydd yn ofalus,' siarsiodd hithau.

Newidiodd Penri'r bwlb yn ddiffwdan a chyneuwyd y golau mawr. Yng ngwres y golau llachar, doedd y stafell ddim i'w gweld hanner mor fygythiol.

'Beth ddigwyddodd?' holodd Alys yn syn, gan eistedd yn ymyl Owain ar ei wely.

'O'n i'n cysgu . . . ac fe ddihunes i. O'dd llais Chris Rea'n gweiddi canu o'r cyfrifiadur er nad fi o'dd wedi'i droi e mlân. Ac wedyn, ro'n i'n ffaelu 'i ddiffodd nes bo fi'n tynnu'r batri mas . . . yn gwmws fel o'n i'n ffaelu troi'r bwlyn gynne,' eglurodd â'i dalcen yn crychu mewn penbleth.

'O'dd y ddou ohonon ni'n tynnu 'run pryd i gyfeiriade gwahanol,' meddai Penri'n oeraidd, resymegol.

'Fe wedest ti bo ti ddim yn twtsh â'r bwlyn, ac o'n i'n dala i ffaelu'i droi e!'

Cododd Penri ei ysgwyddau, fel pe bai'n diystyru unrhyw beth roedd e'n methu â'i resymegu.

'A phwy agorodd y drws i'r atig?' holodd Owain.

'Ma' fe'n hen. Falle bod y catsh 'di mynd,' eglurodd ei dad yn gloff.

'Er bod e 'di selio!' meddai Owen.

'Meddwl bod e 'di selio o'n i,' meddai Penri. 'Achos o'n i'n ffaelu 'i agor e, i storio dim byd. O'n i ddim yn gwbod 'ny fel mater o ffaith!' meddai.

'Ond pam agorodd e mor rhwydd heno 'te?' heriodd Owain.

Doedd gan neb ateb i hynny.

'A shwt nath y gân 'na whare o ran 'i hunan?' gofynnodd Owain yn sinigaidd.

'Ti'n siŵr bo ti ddim wedi cerdded yn dy gwsg?' gofynnodd ei dad.

'Os bydden i, fydde un o' chi 'di sylwi cyn hyn!' atebodd yn siarp. 'Na, wy'n gwbod bod rhwbeth od yn digwydd yn y tŷ 'ma!' meddai. 'Ma' Megan wedi bod yn iawn o'r dechre!' mynnodd.

Ond ysgwyd ei ben yn styfnig wnaeth ei dad, tra gwelai Owain fod ei fam yn simsanu. Roedd hi'n welw iawn erbyn hyn, ac yn edrych yn ddigon anghysurus, os nad yn ofnus!

Yna neidiodd y tri o'u crwyn. Roedd sŵn traed i'w clywed ar ben y staer. Trodd y tri eu pennau i gyfeiriad y drws.

'*Sorry to disturb 'u, like, but Megan was very insistent*,' meddai Nancy wrth gamu i stafell Owain. '*And I hope I can help.*'

18

Roedd pawb yn rhy syfrdan i ddweud gair. Pawb heblaw Nancy, hynny yw.

'*Don' mind if I turn the light out, do 'u? They don' like the lights, see,*' meddai'n hamddenol, gan wasgu switsh y golau wrth siarad. Yna caeodd ei llygaid a dechrau anadlu'n ddwfn ac ymlacio'n ddyfnach.

Yn y man, gwelodd Megan ryw olau'n tyfu o amgylch Nancy.

'*She's here,*' sibrydodd. '*She's with us . . .*' ychwanegodd. '*Who are 'u and why are 'u here?*' holodd wedyn yn hyderus.

Yna newidiodd ei llais. Nid llais hen wraig oedd i'w glywed bellach, ond llais merch ifanc.

'Sarah,' meddai'r llais. 'Sarah, Tyddyn Isha . . . Morwn i Feistres Lydia a Mishtir Davie . . .' meddai wedyn.

Taflodd Megan ac Owain gip ar ei gilydd pan glywson nhw'r enwau cyfarwydd. Doedd yr un ohonyn nhw wedi synnu clywed yr enwau roedd y gêm Ouija wedi'u datgelu. Ond yr hyn oedd yn annisgwyl oedd y ffaith fod Nancy, am y tro cyntaf yn eu gŵydd nhw o leiaf, yn siarad Cymraeg glân gloyw!

Yna hoeliwyd sylw Megan yn llwyr gan y wên atgofus a ledodd dros wyneb rhychiog Nancy. Gwên merch ifanc, hardd ei phryd a'i gwedd. Tynnodd Megan ei hanadl yn siarp.

'Be sy?' sibrydodd Alys, gan edrych ar Megan. Yn amlwg, doedd hi, na neb arall, yn gweld y newid a welai Megan ym mhryd a gwedd Nancy. Roedd sylweddoli ei bod hi'n gweld pethau nad oedd y lleill yn gallu eu gweld yn gryn sioc i Megan, ond nid nawr oedd yr amser i ystyried goblygiadau hynny. Roedd ei holl sylw wedi'i hoelio ar Nancy. Gwelodd yn fuan fod yr wyneb a fu'n gwenu, bellach yn dechrau crebachu, yn troi'n hagr gan ofid ac ofn.

'Sawl math o blant sydd . . ?' llafarganodd. 'Plant da . . . a phlant drwg . . .' meddai'n boenus.

Yna, gwelai Megan ddagrau'n llifo hyd bochau Nancy. Roedd hi'n brwydro i siarad mewn llais toredig.

'Cwilydd . . . cymaint o gwilydd. Fy nhorri allan o Salem . . .' sibrydodd yn dawel, gan gynhyrfu fwyfwy. 'Ble ma' Davie? Pam nad yw e'n dod ata i?' holodd.

Yn trodd y gofid ar ei hwyneb yn arswyd pur.

'Meistres Lydia . . .' meddai mewn ofn. 'Ma' hi'n dod amdana i! Ma' hi'n gwbod! Ma' hi'n grac . . . yn ffyrnig, yn filain . . . ! Am Davie a fi . . . y cwilydd . . . y boen . . . y boen yn annioddefol! Dim dewis . . . dim dewis! Caru'r babi ond yn ffaelu . . . ffaelu godde'r gwarth. Ma'r rhaff yn dynn . . . yn rhy dynn! Mae'n gwasgu am fy ngwddwg . . .'

Roedd dwylo Nancy'n cau am ei gwddf, ei hwyneb yn hagr gan boen a'i llais yn distewi wrth iddi dagu fwyfwy nes ei bod yn ffaelu siarad ac yn ffaelu anadlu chwaith.

Dyna'n union sut roedd Owain wedi teimlo – bob nos roedd wedi dihuno o ganol hunllef, yn ofni ei fod ar fin mogi. Bron nad oedd e'n colli ei anadl wrth wylio Nancy'n mynd drwy'r un profiad poenus ag roedd e wedi mynd drwyddo.

'Penri! Gwna rwbeth!' gwaeddodd Alys mewn panig. 'Ma' hi'n ca'l pwl. Ma' hi'n tagu! Falle bo'r hen fenyw'n ca'l trawiad!'

Roedd Megan yn poeni'n enbyd amdani hefyd. A ddylen nhw drio ymyrryd fel roedd ei mam wedi awgrymu? Ond ar y llaw arall, meddyliodd, mae'n debyg bod Nancy wedi cael profiadau fel hyn o'r blaen, a'i bod hi'n gwybod yn union beth roedd hi'n ei wneud. Cyn i neb gael cyfle i ymyrryd, roedd dwylo Nancy'n disgyn wrth ei hochrau, ac roedd hi'n dechrau anadlu'n rhydd unwaith eto. Gwelodd Megan yr wyneb ifanc yn cilio gan ddatgelu wyneb rhychiog, cyfarwydd Nancy unwaith yn rhagor. Â'i hanadl bellach yn gwbl rwydd a rheolaidd, carthodd ei gwddf, agorodd ei llygaid a siaradodd yn ei llais ei hun.

'*I've blessed her and I've tried to help her pass over . . . if she's finally willin' to go!*' meddai, fel pe na bai gant y cant yn siŵr fod Sarah yn barod i groesi, chwaith.

'*I don't understand . . .*' dechreuodd Alys ddweud, yn gyfan gwbl allan o'i dyfnder a heb unrhyw reolaeth dros y sefyllfa, chwaith.

'*Young Sarah hung herself when she was with child. Last minute, she changed her mind. But it was too late. She couldn't save herself 'cos she'd already jumped from up there,'* meddai Nancy, gan godi ei llygaid at y drws agored oedd yn hongian o'r nenfwd. *'She was dead in an instant, but ever since she's been trapped between two worlds. Dead to this world but too scared to face the next. Awful religious she was . . . and afraid to meet her maker! People were so narrow and unforgivin' back then, especially in your part of the world. Did I tell you that she came from the same place as 'u? She 'ad a bit of bond with 'u – especially,'* meddai, gan hoelio'i llygaid treiddgar ar Owain.

'How do you know all this?' holodd Penri ar ei thraws, fel dyn mewn breuddwyd. *'Are you making it up?'* gofynnodd yn amheus,

''Cos she told me. Please trust me,' atebodd Nancy. *'This is what I was born to do, and it's what I'll do 'til the day I die, God willin' that is . . .'* Caeodd Nancy ei llygaid unwaith eto a sibrwd gweddi dawel. Yna, cododd ei phen ac agorodd ei llygaid.

'There . . . ! She's gone . . . !' meddai dan wenu. *'Hope she'll rest in peace at last. In the meantime, light a white candle for protection,'* meddai wrth y pedwar yn y stafell.

'Thanks, Nancy,' meddai Megan, yn weddol siŵr fod y lleill yn rhy syfrdan i ddweud gair. *'Can we pay you?'*

'Not a penny, only too glad to help, any time,' meddai, gan droi i edrych ar Owain eto. *'If 'u ever want a word . . . if somethin's bothering 'u, like,'* awgrymodd.

'No!' meddai Alys yn ei chyfer braidd. Trodd pawb i edrych arni'n syn, am iddi ymateb mor chwyrn, gan gynnwys Nancy, a gododd ei haeliau'n awgrymog.

135

Gallai weld fod rhywbeth mawr yn poeni Alys. '*I mean, no, we must pay you,*' meddai honno, mewn ymgais i guddio'i lletchwithdod.

'*Not at all, it was a pleasure . . .*' meddai Nancy, gan syllu arni â llygaid pryderus, ond caredig, hefyd.

Teimlodd Alys ei hun yn crebachu dan lygaid treiddgar Nancy. Trodd oddi wrthi a thaflu cip ar Penri, oedd yn gwgu braidd, fe pe bai'r cyfan y tu hwnt iddo.

'*Since it's all fine up here now, I'll leave 'u in peace,*' meddai'r hen wraig, gan droi am ben y staer.

'*No, wait! Please . . . I need to show you something, downstairs,*' meddai Megan, a chytunodd Nancy.

Ysgydwodd Penri ei ben mewn anghrediniaeth cyn dilyn y ddwy i lawr y staer, gydag Alys ac Owain yn dynn ar ei sodlau.

19

'*I saw someone standing there . . . a man!*' meddai Megan wrth Nancy, ar ôl iddyn nhw gyrraedd y gegin ganol.

Wnaeth hi ddim cynnau'r golau, gan ei bod hi'n cofio fod Nancy wedi gofyn am gael diffodd y golau yn stafell Owain yn gynharach, cyn dechrau ar ei gwaith. Edrychodd Nancy tuag at y fan lle roedd Megan wedi pwyntio a chaeodd ei llygaid. Anadlodd yn ddwfn unwaith yn rhagor.

Cyn bo hir, gwelodd Megan oleuni'n tyfu o gwmpas Nancy. A phan agorodd ei cheg i siarad, gwelodd rith wyneb canol oed yn disodli corff Nancy; wyneb y dyn roedd hi wedi'i weld yn gynharach y noson honno a welai Megan bellach. Gwelodd hefyd fod ei law, unwaith eto, yn pwyntio tuag at y llawr dan eu traed.

Yna'n sydyn, roedd y gŵr, ar lun Nancy, yn gwegian wrth iddo gael ei wthio i'r naill ochr gan rym arall. Y cyfan a deimlai Megan oedd chwa o oerni'n troelli'n wyllt o'r fan lle safai Nancy.

'*He's a lying cheating bastard of man! And he deserved all he got!*' meddai llais cras gwraig y tro hwn, oedd yn berwi gan ddicter a dialedd.

Rhith gwraig ganol oed, wedi'i gwisgo mewn ffrog hir dywyll at ei thraed â gwddf uchel a welai Megan erbyn hyn. Roedd gan y wraig wallt tywyll wedi'i godi'n uchel ar ei phen. Daliai i gwyno a phregethu, nes bod ei dicter yn llenwi'r stafell a deimlai'n fwy llethol ac anghysurus fesul eiliad.

'*And her! I was so disappointed in that slip of a girl!*' meddai'r llais cras eto. '*I took her in and fed her . . . put a roof over her head . . . like a mother to her I was. All she had to do was clean and polish and cook. Not go and sleep with my useless scum of a man, Davie!*'

'Lydia . . .' sibrydodd Owain, heb yn wybod iddo'i hun, bron.

Trodd rhith y wraig i wynebu Owain. Yna, gwelodd Megan fod y dicter ar ei hwyneb yn diflannu a bod dagrau hallt yn dod yn eu lle. Dagrau un a oedd, o'r diwedd, yn difaru. Dechreuodd hithau bwyntio at y llawr hefyd. At yr un llecyn ag y pwyntiodd ei gŵr ato'n gynharach.

Yna, gwelodd Megan fod wyneb Lydia'n cilio, ac wyneb Nancy'n ailymddangos. Carthodd honno'i gwddf unwaith eto, cyn siarad yn ei llais ei hun.

'*You've got to get that floor up. That's what Davie's been tryin' to tell 'u. But, his wife . . . bein' hurt and betrayed and vengeful, has been tryin' to stop 'im . . . No wonder you've been disturbed, with such a ding-dong goin' on down 'ere!*'

Crwydrodd llygaid Nancy at Alys. '*You've felt it, aven't 'u?*' meddai.

Clodd llygaid y ddwy mewn ennyd o ddealltwriaeth wrth i Alys sylweddoli bod y boen a'r brad a'r dicter roedd hi wedi'u teimlo oherwydd anffyddlondeb Penri, yn debyg i'r hyn roedd Lydia wedi'i deimlo ddegawdau lawer yn ôl. Tybed a oedd teimladau dwys y ddwy wedi'u denu at ei gilydd, rywffordd? Yr hyn roedd hi'n go siŵr ohono bellach oedd fod y ddwy wedi profi'r un egni tywyll, dinistriol oedd yn arwain i unman, heblaw at ddicter a dialedd a rhagor o boendod i bawb. Dan edrychiad treiddgar Nancy, teimlodd Alys ddau ddeigryn yn treiglo i lawr ei dwy foch. Teimlodd yr egni tywyll yn llifo ohoni, ac yn gadael rhyw lonyddwch tawel yn ei le. Trodd i edrych ar Penri a safai yn ei hymyl, gan sylweddoli ei bod hi wedi maddau iddo, o'r diwedd, a bod gallu maddau'n deimlad mor braf.

Trodd Nancy hefyd ei sylw at Penri. Dechreuodd yntau symud yn anesmwyth o un droed i'r llall, gan ei fod e'n ei chael hi'n anodd iawn edrych i fyw llygaid yr hen wraig. Dechreuodd ddyheu am fod yn unrhyw le heblaw'r fan honno, yn gwingo dan lygaid treiddgar Nancy. Ond doedd dim modd dianc. Roedd hi fel pe bai wedi hoelio sylw pawb â rhyw hud oedd yn ei gwneud hi'n anodd i neb brotestio, dim ond ildio i'r tawelwch bodlon oedd yn cau o'u cwmpas.

Yn eironig, Megan, yn ei chynnwrf, oedd yr un a dorrodd ar y tawelwch hwnnw.

'*She killed him, didn't she?*' holodd, wedi iddi led-sylweddoli hynny'n sydyn.

'*Yes. He'd pushed her too far and she poisoned him, before she buried him there,*' cadarnhaodd Nancy, gan gyfeirio at y llawr pren dan eu traed.

O'r diwedd, roedd y darnau'n disgyn i'w lle ym

meddwl Megan. Doedd hi ddim wedi dychmygu'r cyfan. Bob tro roedden nhw'n sôn am godi'r llawr roedd ysbryd Davie wedi bod yn eu hannog, ac ysbryd Lydia wedi protestio, rhag i'r corff gael ei ddarganfod.

'*He's desperate for a proper burial, like, but won't 'ave one if he stays rottin' in that damp cellar,*' cadarnhaodd Nancy. '*His wife's full of regret now and wants him to 'ave his wish, 'cos they both need their souls to rest in peace, like,*' meddai dan wenu, cyn difrifoli unwaith eto. '*But I don't think there'll be lastin' peace in this house 'til the deed is done, like! You've got to get that floor up sharpish!*' rhybuddiodd yn ddwys, gan edrych ar y pedwar yn eu tro.

20

'Ni *yn* codi'r llawr heddi, nag 'yn ni?' holodd Megan, ei hwyneb yn llwyd a heb fawr o archwaeth at frecwast y bore wedyn. Gwyliodd ei mam yn edrych ar ei thad, oedd fel pe bai'n osgoi ateb. 'Dad!' meddai wedyn, er mwyn mynnu ei sylw.

'Wel, ti'n gweld, ma' gweithwyr da yn bobol fishi. Falle bydd rhaid i ni fod yn amyneddgar.'

'Ond ti'n gwbod beth wedodd Nancy, fydd dim heddwch yn y tŷ 'ma nes bo ni'n codi'r llawr!'

'A beth os o'dd hi'n perfformo i ga'l 'bach o sylw,' meddai ei thad yn sinigaidd.

'Alla i'm credu bo ti 'di gweud 'na,' meddai Megan. 'Ddim ar ôl popeth ddigwyddodd nithwr.'

Cododd ei thad ei ysgwyddau'n ddi-hid, cyn mentro dweud y dylai Nancy fod ar lwyfan. Fe allai gael gyrfa dda fel actores. Ysgydwodd Megan ei phen yn anghrediniol. Yna meddai'n benderfynol, 'Os nag o's gweithwyr i ga'l, wy'n credu y dylen ni godi'r llawr 'ma'n hunen! Arhosa i ga'tre o'r ysgol heddi i helpu. A tithe 'fyd, Owain?' holodd, gan droi ato.

'Sori! Wy angen mynd i'r ysgol heddi. Ond wy *yn* credu bod rhaid i ni godi'r llawr cyn heno. Sa i'n moyn nosweth arall fel neithwr!' meddai Owain, wedi'i ysgwyd drwyddo gan brofiadau'r noson cynt.

Diolchodd Megan iddo â'i llygaid.

'O's rhywun yn y swyddfa fydde'n gwbod am weithwyr da . . . rhywun 'di ymddeol falle?' cynigiodd Alys, yn awyddus i adfer heddwch wrth y ford fwyd.

'Fe hola i,' meddai Penri, wedi'i gornelu, braidd. 'Nawr, ga i lonydd i fyta 'mrecwast, plîs?' holodd yn ddiamynedd.

'Wy'n gobitho y gallwch chi'ch dou ganolbwyntio ar 'ych gwersi heddi,' meddai eu mam, gan daflu cipolwg pryderus ar Owain a Megan.

Gwyddai Megan y câi drafferth enfawr i ganolbwyntio ar unrhyw beth y diwrnod hwnnw, am ei bod hi wedi gweld mwy neithiwr nag roedd neb arall o'i theulu wedi'i weld. A doedd neb hyd yn oed yn sylweddoli hynny, heblaw am Nancy, wrth gwrs. Bu'n ofalus iawn ohoni, yn cael gair bach tawel gyda hi cyn iddi adael neithiwr, gan egluro bod ganddi ddawn oedd yn debyg i'w dawn hi, sef ei bod hi'n gallu gweld a chyfathebu ag ysbrydion. Y cam nesaf fyddai ei dysgu i feithrin y ddawn honno, pan fyddai ychydig bach yn hŷn. Roedd meddwl am gael meithrin ei dawn dan ofal Nancy yn ei chyffroi'n fawr, ond ar yr un pryd, roedd yn codi ofn arni hefyd. Er ei bod hi wedi sylweddoli ers amser ei bod hi ychydig bach yn wahanol i bobl eraill, gan gynnwys ei theulu a'i ffrindiau, doedd hi ddim wedi deall pa mor wahanol oedd hi, na beth oedd yn ei gwneud hi'n wahanol, tan neithiwr. Am y tro, roedd hi am gadw'r wybodaeth honno'n gyfrinach oddi wrth ei theulu a'i ffrindiau, tan y byddai hi ei hun wedi dechrau dod i delerau â'r peth.

*

Cyn gynted ag y cyrhaeddodd Owain yr ysgol, aeth i chwilio am Tracy ar unwaith, er mwyn rhannu profiadau'r noson cynt â hi. Roedd e'n berffaith siŵr, bellach, fod treulio cymaint o amser ac egni'n meddwl am ddiwedd annhymig Eleri, rywsut, wedi denu Sarah ato. Heb iddo sylweddoli beth roedd e'n ei wneud, roedd ei boen dywyll wedi denu gwewyr enaid aflonydd arall ato, o oes arall. Roedd yn ysbryd a oedd yn sownd rhwng muriau'r tŷ, wedi'i gaethiwo gan euogrwydd llethol. Roedd e'n siŵr mai dyna oedd Nancy wedi'i awgrymu pan ddywedodd fod Sarah wedi teimlo rhyw gyswllt, rhyw gwlwm arbennig ag e, yn fwy na neb o'r lleill. Ond bellach, roedd e'n ffyddiog fod y cysylltiad hwnnw wedi'i dorri, a'i fod yn dawelach ei ysbryd, o dipyn. Roedd rhyw ymdeimlad o heddwch wedi llifo drwyddo pan hebryngodd Nancy Sarah ar ei thaith, ac roedd y tawelwch hwnnw wedi dwysáu pan gynigiodd Nancy ei helpu hefyd.

Erbyn y bore, doedd e ddim yn teimlo fod arno angen help Nancy, na neb. Roedd e'n ffyddiog ei fod bellach wedi cefnu ar y gorffennol ac roedd ar dân am gael dweud hynny wrth Tracy.

Pan ddaeth o hyd iddi yn y stafell gyffredin, sylweddolodd ei bod hi eisoes wedi cael tipyn o'r hanes gan Nancy, am i honno'i ffonio ben bore cyn iddi adael am yr ysgol. Roedd Tracy hefyd wedi cael rhybudd clir i beidio â mentro potsian â'r Ouija byth eto. Falle nad oedden nhw wedi denu ysbrydion oedd yn dymuno unrhyw ddrwg iddyn nhw'r tro hwn, ond fe allai'r stori fod wedi bod yn wahanol, roedd Nancy wedi rhybuddio'n chwyrn.

'Fe wnest ti weud 'tha i am dowlu'r llythrenne, whare teg,' meddai Owain wrth Tracy. 'Sori am dynnu'n gro's!'

'Mae'n o'reit. Sdim niwed wedi'i neud,' meddai hithau. 'Ti'n teimlo'n iawn nawr?' holodd.

Nid dim ond cyfeirio at gyffro'r noson cynt roedd hi. Ynghlwm wrth y cwestiwn yn rhywle oedd yr isdestun – sut roedd e'n teimlo am ei berthynas ag Eleri bellach.

'Os ti'n gofyn odw i'n barod i symud mlân, yr ateb yw "odw", o'r diwedd,' meddai. 'Diolch i ti, ac i Nancy, wrth gwrs!' meddai wedyn, dan wenu.

Gwenodd Tracy yn ôl arno'n gynnes, ei llygaid yn chwerthin unwaith eto. Llamodd calon Owain.

'Ga i dy weld di nes mlân?' gofynnodd.

'Heno ar ôl ysgol?' cynigiodd.

Gwenodd Owain yn llydan, a cherddodd yn ysgafndroed i'w wers nesaf.

*

Gwnaeth Alys baned arall o goffi yn y gobaith y byddai'n ei helpu i ddihuno, cyn eistedd i'w yfed wrth fwrdd y gegin ganol. Roedd hi ar ei phen ei hun o'r diwedd, y plant wedi mynd i'r ysgol a Penri wedi mynd i'w waith. Edrychodd o gwmpas y stafell, lle bu cymaint o gynnwrf y noson cynt. Eisteddodd ac anadlu'r tawelwch o'i chwmpas. Roedd hi'n anodd credu beth oedd wedi digwydd yno yn ystod yr oriau mân. Sut ac o ble roedd Nancy wedi cael ei gwybodaeth? Roedd hi'n amlwg wedi mynd i lesmair oedd yn llwyr argyhoeddi y noson cynt. Ond yn sobrwydd golau dydd? Doedd hi dim mor siŵr. Fel rhywun a fu'n byw yn y stryd cyhyd, beth os oedd ganddi stôr o wybodaeth am hen drigolion y tŷ, a'i bod hi'n defnyddio'r wybodaeth i'w diddanu? Roedd Penri, yn amlwg, yn amheus ohoni. Ond wedi dweud hynny, doedd hi ddim wedi gofyn yr un geiniog am ei thrafferth, chwaith. Roedd hynny'n awgrymu i Alys y gallai fod yn ddidwyll, ac roedd hi'n llawer bodlonach ei byd ar ôl i Nancy geisio egluro beth oedd wedi bod yn digwydd yn y tŷ. Roedd llawer ohono'n gwneud synnwyr i Alys. A gwyddai ei bod hi ei hun yn dawelach ei meddwl. Roedd hi'n fwy addfwyn ei thymer ers iddi faddau i Penri ac roedd hi'n fwy amyneddgar â'i theulu hefyd.

Eto i gyd, roedd yna un peth oedd yn ei phoeni ynglŷn â Nancy. Roedd hi'n anesmwyth ei bod wedi cael cymaint o ddylanwad ar Megan. Roedd rhyw gwlwm rhyfedd wedi tyfu rhwng y ddwy. Pe bai'n onest, roedd hi ychydig bach yn genfigennus o'r cwlwm hwnnw, ond ar yr un pryd, roedd hi'n amheus o'r berthynas. Doedd hi ddim am weld Megan nac Owain – ei dau drysor – yn dod ormod o dan ddylanwad rhywun o'r tu fas i'r teulu, nad oedd hi'n gwbl siŵr ohoni. Neu a oedd hi'n bod yn orwarchodol, tybed?

Ar draws ei meddyliau, clywodd gnoc weddol ysgafn ar ddrws y ffrynt. Doedd ganddi fawr o amynedd i siarad ag unrhyw un heddiw, yn enwedig Jehofas neu bobl yn gwerthu Sky. Ond curo'n galed a wnâi'r rheini, gan fynnu sylw. Penderfynodd godi a mynd i weld pwy oedd yn gyfrifol am y gnoc ysgafn. Er mawr syndod iddi, Nancy oedd ar garreg y drws – Nancy fywiog, oedd yr un mor effro'r bore ag oedd hi yn oriau'r nos, fel pe na bai arni angen ei chwsg o gwbl.

'*Can I come in? Lovely smell of coffee. I'd murder a cup,*' meddai'n gyfeillgar, gan sylweddoli ar ei hunion mor amhriodol oedd ei dewis o eiriau. '*Sorry, sorry,*' meddai ar ei chyfer, yn llawn sylweddoli nad oedd fawr o hiwmor yn perthyn i Alys y bore hwnnw. '*I'm not after coffee,*' esboniodd wedyn yn fwy difrifol. '*I'm here for a reason. We need to talk. Really talk!*' meddai, gan syllu i fyw llygaid Alys, a'i hewyllysio i wrando.

'*Come in,*' atebodd Alys, yn betrus.

Eisteddodd y ddwy o gwmpas y ford hir yn y gegin ganol.

'*I 'aven't come about the floor,*' meddai Nancy. '*Not today. I've come about 'u, and your son Owain,*' eglurodd yn ddwys.

Llyncodd Alys yn galed. Cyflymodd curiad ei chalon. Roedd arni ofn beth roedd Nancy'n mynd i'w ddweud.

'*I knows you've 'ad it rough,*' meddai. '*With your husband playin' away, like. But that's over now, you knows that, don' 'u? Don' 'u be pushin' 'im away with that suspicious mind of yours . . . I'm not 'avin' a go, like . . . It's just a word of advice,*' esboniodd yn garedig.

146

Roedd yna gysur yn ei geiriau. Ond ar yr un pryd, roedd Alys yn dechrau teimlo'n amddiffynnol ac yn anghysurus. Roedd y ffaith fod Nancy'n gwybod cymaint o'i hanes yn ei gwneud yn anniddig. Oedd Owain, tybed, wedi dweud rhywfaint ohono wrth Tracy, a Tracy wedyn wedi dweud wrth Nancy? Ond beth fyddai diben twyll o'r fath? Na, daeth i'r casgliad anorfod fod Nancy, rywsut, yn gwybod popeth amdani, y hi a'i hanes. Ac roedd hynny'n codi ofn arni. Ofn gwirioneddol yr oedd Nancy'n gallu ei synhwyro.

'*I can see this is 'ard for 'u,*' meddai. '*But I'm beggin' 'u to listen! You loves that boy of yours, don' 'u? You'd do anythin' for him. Anythin' like,!*' pwysleisiodd, yn llawn amwysedd.

Collodd calon Alys guriad.

'*You knows what you've done. The guilt's been eatin' away at 'u, ever since you heard about that poor child your Owain were courtin', like . . .*'

Teimlodd Alys y gwaed yn llifo i'w bochau. Dechreuodd ei gwefus isaf grynu.

'*Stop it. Stop it!*' plediodd.

'*I'm not 'ere to judge or find fault. What's done is done. But 'u need to tell him . . .*'

Dechreuodd Alys ysgwyd ei phen yn ffyrnig.

'*If you don' tell 'im, somebody else will!*' meddai Nancy ar ei hunion.

'*Get out of my house!*' gwaeddodd Alys gan godi ar ei thraed yn wyllt.

'*He won't hear it from me, but I knows he'll be told. An' it's best he hears it from 'u.*'

'*Please leave, now!*' meddai Alys rhwng ei dannedd, yn methu dioddef presenoldeb Nancy un eiliad yn rhagor.

Edrychodd Nancy arni'n drist.

'*I'm only tryin' to help, like,*' meddai, cyn ymadael yn benisel.

Ar ôl i Alys gau'r drws yn dynn ar ei hôl, sylweddolodd ei bod yn chwys drosti. Pwysodd yn erbyn wal y cyntedd, cyn i'r dagrau dasgu i'w llygaid, a disgyn yn rhaeadr dros ei bochau. Allai hi byth bythoedd â dweud wrth Owain beth roedd hi wedi'i wneud. Doedd hi ddim *am* ddweud. Doedd dim *angen* iddi ddweud. Roedd ei chyfrinach hi'n saff yng Nghaerdydd. Roedd hi'n berffaith siŵr o hynny, meddyliodd, gan wasgu ei dyrnau'n glymau tyn, mor dynn nes bod ei migyrnau'n glaerwyn.

21

Roedd Owain yn chwilio am Tracy wrth gât yr ysgol cyn troi am adre, pan glywodd rywun yn galw'i enw. Gwyddai fod y llais yn un cyfarwydd, ond am eiliad, doedd ganddo ddim syniad pwy oedd yn berchen arno. Yna gwawriodd arno ei fod yn adnabod y llais yn rhy dda!

Trodd yn betrus i weld wyneb oedd wedi'i erlid o'r blaen – wyneb oedd yn salw gan ddicter a galar.

*

'Ble ma' Owain?' oedd cwestiwn cyntaf Alys pan welodd Megan yn dychwelyd o'r ysgol ar ei phen ei hun. 'Ody e 'di mynd 'da Tracy?' holodd yn siarp, cyn i Megan gael dweud gair.

'Na. Weles i e'n mynd mewn i gar, heb Tracy,' atebodd.

'I gar?'

'Paid panico. Sa i'n siŵr, ond . . .'

'Beth?' holodd Alys, gan gynhyrfu fwyfwy.

'O'dd hi'n debyg iawn i fam Eleri.'

Cododd cyfog gwag o stumog Alys i losgi ei llwnc.

'Ethon nhw i rwle?' holodd. 'Ateb fi, Megan, ateb fi!' gorchmynnodd.

'O'n nhw'n ishte yn y car yn siarad.'

Rhuthrodd Alys at y ffôn.

'Mam! Bydd Owain yn iawn. Ti'n becso gormod!' mynnodd Megan.

Ond doedd ei geiriau'n lleddfu dim ar bryder Alys. Doedd gan Megan ddim syniad. Ddim syniad o gwbl beth roedd Sharon yn ei wneud gydag Owain. Ond roedd syniad rhy dda gan Alys. Taflodd ei chot amdani'n frysiog cyn camu i'r stryd i aros am dacsi, a phob eiliad yn teimlo fel awr.

*

I ddechrau, roedd Owain wedi meddwl bod ei lygaid blinedig yn chwarae triciau ag e. Ond Sharon oedd hi, heb unrhyw amheuaeth, wedi'i gwisgo mewn dillad du, yn union fel roedd hi ddiwrnod yr angladd ym mynwent Bethel.

'Gair!' gorchmynnodd, gan ddal drws ei char ar agor.

Cafodd Owain ei demtio am eiliad i gerdded i'r cyfeiriad arall, gan ei hanwybyddu a'i hosgoi. Ond gwyddai na fyddai ei gydwybod yn caniatáu iddo wneud hynny.

'Plîs?' meddai Sharon wedyn, pan welodd fod yna berygl nad oedd Owain am ufuddhau.

Camodd yntau'n araf i'r cerbyd, gan wylio Sharon yn ofalus i weld a oedd ei hagwedd tuag ato wedi newid o gwbl ers diwrnod yr angladd. Doedd hi ddim yn ymddangos mor wyllt, barnodd.

'O'n i ar fai yn poeri arnot ti ddwarnod yr angladd,'

meddai Sharon yn dawel. 'O't ti ddim yn gwbod, o't ti?'

Edrychodd Owain arni'n syn, yn ceisio deall at beth roedd hi'n cyfeirio.

'O'dd 'da ti ddim syniad pam o'n i mor grac . . .'

Tynnodd anadl ddofn cyn ei hateb.

'Wy'n gwbod 'nes i tsheto ar Eleri. Ac wy'n flin, meddai. 'Nelen i unrhyw beth i droi'r cloc 'nôl. O'dd hi'n golygu lot i fi,' esboniodd, gan deimlo rhyddhad o gael y cyfle i ddweud hynny wrth ei mam, o'r diwedd.

'Wy'n gwbod,' meddai. 'Ond ddim *'na* pam o'n i'n grac 'da ti. Ddim achos bo ti wedi tsheto arni o'dd Eleri yn gorwedd yn 'i bedd. O'dd rheswm arall. Wy'n moyn i ti ofyn i dy fam beth o'dd y rheswm 'na!'

Unwaith eto, dechreuodd amheuon Owain ei gnoi.

Beth roedd ei fam yn ei wybod? Beth roedd hi wedi bod yn ei guddio oddi wrtho?

'Trwbwl yw, 'wedith dy fam ddim wrthot ti. 'Se hi'n bwriadu gweud, fydde hi wedi gweud erbyn hyn. O'dd well 'da hi gau'i phen a dy lusgo di lawr i fan hyn. Yn ddigon pell wrtha i. Ma' hi'n rhwyddach i fi ddangos i ti na gweud wrthot ti,' meddai wedyn. ''Ma gliw bach i ti ga'l 'i witho fe mas dy hunan,' poerodd yn yr un dôn chwerw oedd wedi'i ddychryn yn y fynwent y diwrnod crasboeth hwnnw o Awst.

O sedd gefn y car, estynnodd Sharon barsel.

'Anrheg i *ti*,' meddai, gan ei ddal o'i flaen, a'i annog i'w gymryd.

Bocs wedi'i lapio'n ofalus mewn papur glas oedd e. 'Dwarnod pen blwydd Eleri yw hi heddi. Fe fydde hi'n ddwy ar bymtheg, fel wyt ti, tase hi 'da ni o hyd,' ychwanegodd yn drist.

Roedd e wedi anghofio. Wedi anghofio pen blwydd Eleri, am ei fod mor brysur yn symud ymlaen â'i fywyd. Ond doedd dim gobaith gan Sharon i wneud hynny. Unwaith eto, dechreuodd yr hen euogrwydd ei fwyta. Euogrwydd roedd e'n meddwl oedd wedi diflannu bellach.

'Cymer e,' gorchmynnodd Sharon. 'Dyw hi ddim 'ma i dderbyn dim byd. Ond fe wyt ti! Ac wrth dderbyn hwn, fe ddei di i ddeall popeth. Deall pam mae Eleri'n gorwedd lle ma' hi,' meddai, a'i dagrau'n agos iawn at yr wyneb.

Teimlodd Owain gyhyrau'i stumog yn tynhau wrth iddo estyn yn ofalus am y bocs. Roedd arno ofn, ond ar yr un pryd roedd e'n chwilfrydig. Dyma beth roedd wedi'i ddymuno ganwaith. Cael atebion i'w gwestiynau. Cael deall pam roedd Eleri wedi gwneud beth wnaeth hi. Pam roedd Sharon mor ddig ag e.

Cymerodd Owain y parsel a dechrau tynnu'r papur oedd amdano â dwylo crynedig. Daeth clawr bocs i'r golwg. Taflodd gip i gyfeiriad Sharon. Nodiodd ei phen er mwyn ei annog i'w godi ar ei union. Cododd Owain y clawr oddi ar y bocs, a gweld haenau o bapur gwyn, tenau y tu mewn iddo. Dechreuodd dynnu'r haenau, a chanfod rhwng y plygiadau, ddillad. Dillad glas. Dillad babi. Crychodd Owain ei aeliau'n syn. Doedd e ddim yn deall.

'Fydde hwnna wedi bod yn anrheg i ti ac i Eleri, oni bai am dy fam,' meddai Sharon, a'i llais yn llawn edliw. 'O'dd Eleri'n dishgwl dy blentyn di,' eglurodd, rhag ofn nad oedd wedi deall. 'A fydde fe wedi ca'l 'i eni heddi, falle, ar yr un diwrnod â'i fam. Ond do'dd dy fam ddim yn folon!' meddai, a'i llais yn caledu.

Treiddiodd y gwir creulon i ymennydd Owain. Plentyn? Ei blentyn e ac Eleri?

'Wedodd Eleri ddim. Pam nath hi ddim gweud?' holodd yn syfrdan.

'O'dd hi ddim yn gwbod am fisho'dd. Ddim wedi meddwl . . . O'dd hi'n bedwar mish erbyn iddi sylweddoli, ac o'dd hi fwy neu lai'n rhy hwyr i neud dim yn 'i gylch. Ond wedodd dy fam 'i bod hi'n gwbod am rwle preifet, rhwle da, ac o'dd hi'n barod i dalu, er mwyn i Eleri ga'l 'i rhyddid, medde hi. Hy! Er mwyn i ti ga'l dy ryddid o'dd hi'n feddwl! O'dd hi'n moyn i fi berswado Eleri taw 'na beth o'dd ore. A fel ffŵl fe 'nes i,' eglurodd mewn llais crynedig. 'Ond ddim 'na beth *o'dd* ore, ife?' meddai, a'i dagrau'n torri. Roedd rhyw niwl yn dechrau ffurfio o flaen ei lygaid yntau hefyd ar ei waethaf wrth i Sharon fynd yn ei blaen. 'O'dd hi'n ffaelu byw 'da beth nath hi, achos taw nage'i phenderfyniad hi o'dd e,' meddai'n daer. 'Penderfyniad dy fam o'dd e,' meddai. 'O'dd hi'n folon neud unrhyw beth i dy garco *di*. Tra o'n i'n rhy wan i garco 'merch fach i . . !' meddai, cyn i'w llais dorri ac i ragor o ddagrau ei gorfodi i dewi.

Yna'n sydyn, sylweddolodd Owain fod drws y car yn agor.

Gwelodd ei fam yn syllu mewn arswyd ar y dillad

babi yn ei gôl. Roedd hunllef waethaf Alys wedi dod yn wir.

'Bum mish yn ôl, Alys . . . Ti'n cofio beth nethon ni?' meddai Sharon gan ddechrau gweiddi.

Ond doedd Alys ddim yn gwrando. Roedd ei holl sylw ar Owain oedd yn troi i edrych arni'n gyhuddgar.

'Pam na wedest ti?' holodd.

'Dy ddyfodol di . . . o'n i ddim yn moyn 'i strywa fe . . . o'n i ddim i wbod y bydde Eleri . . .'

Roedd hi, fel yntau, yn dal i gael trafferth dweud beth yn union roedd Eleri wedi'i wneud. Roedd y geiriau'n tagu yn ei llwnc. Yn union fel pe bai peidio â'u mynegi, rywsut, yn claddu'r gwir ac yn llethu'r euogrwydd am byth. Ond y gwir oedd nad oedd modd ei lethu am byth. Roedd e'n codi'i ben o hyd mewn rhyw ffurf neu'i gilydd, a mynnu sylw.

'Gwed e, Alys! Gwed beth nath hi! I ti ga'l deall beth nest ti! Beth wyt ti'n gyfrifol amdano,' chwyrnodd Sharon yn greulon. 'A gwed ti fe hefyd,' meddai, gan daro braich Owain yn galed, drosodd a throsodd.

'O'n i ddim yn gwbod. O'n i ddim yn gwbod!' gwaeddodd yn ôl, a thynnu'i fraich o'i gafael.

Roedd dagrau Sharon yn llifo'n ddireolaeth erbyn hyn.

'Cer!' meddai. 'Cer o 'ngolwg i!' gwaeddodd yn eglur, gan hanner gwthio Owain o'i sedd.

Cododd ar ei union, yn falch o ddianc rhag ergydion Sharon. Taflodd un olwg olaf, druenus arni, wrth iddi wasgu'i throed ar y sbardun a gyrru i ffwrdd oddi yno fel cath i gythraul.

'Owain . . .' dechreuodd Alys egluro, yn ei ymyl.

Ond doedd Owain ddim yn talu un iot o sylw i'w fam. Yn hytrach roedd e'n brasgamu oddi wrthi, cyn dechrau rhedeg ar garlam, heb fod ganddo syniad i ble roedd am fynd.

22

Clywodd Megan sŵn allwedd yn troi yn y clo, a sŵn lleisiau'n llenwi'r cyntedd – llais ei thad a llais rhywun dieithr hefyd. Daeth drwodd o'r gegin fach i weld dyn byr, rhyw drigain oed, wedi'i wisgo mewn dillad gwaith yn cario offer drwy'r tŷ i'r gegin ganol.

'O'n i'n lwcus bod Jeff yn rhydd,' meddai Penri.

'*Love a bit of mystery, me*!' atebodd yn gellweirus, gan wenu ar Megan.

'Nei di ddisghled iddo fe?' holodd Penri.

Cytunodd Megan ar unwaith, yn falch o'r cyfle i fod wrth law i weld beth yn union y bydden nhw'n ei ddarganfod o dan yr hen lawr pren.

*

Gan fod sylw Megan a'i thad ar godi'r llawr, chlywodd yr un ohonyn nhw Owain yn cyrraedd adref ac yn rhedeg i'w stafell. A thalodd Owain ddim iot o sylw i'r sŵn curo dieithr oedd yn dod o'r cefn gan fod ei feddwl ar bethau amgenach. Doedd ganddo ddim eiliad i'w cholli.

Cyn gynted ag y cyrhaeddodd ei stafell, agorodd ddrws y wardrob a thaflu cymaint o'i eiddo ag y gallai i fag, anelu am y drws a'i baglu hi o'na cyn y cyrhaeddai ei fam adref a cheisio'i rwystro. Doedd e ddim am ei gweld hi a doedd e ddim am dorri gair â hi byth eto.

*

Pan gyrhaeddodd Alys adref, a gweiddi enw Owain dros y tŷ cyn rhedeg i'r llofft, siom gafodd hi. Doedd dim sôn amdano yn ei stafell, a gwelodd fod drws y wardrob ar agor, a llawer o'i ddillad wedi diflannu.

Yn sydyn, clywodd sŵn traed y tu ôl iddi.

'Owain . . ?' sibrydodd, gan droi'n sydyn, yn y gobaith ei fod e'n dal yno, ac nad oedd sail iddi ofni ei fod wedi rhedeg oddi wrthi, ond Penri oedd yno'n edrych arni'n syn. Suddodd ei chalon.

'Be sy?' holodd yn bryderus.

'Ma' fe'n gwbod,' meddai Alys, dan grynu.

Daliodd Penri ei anadl gan ei hewyllysio i ddweud rhagor.

'Ma' fe'n gwbod am y babi . . . am beth drefnodd Sharon . . . a fi . . .' meddai'n gloff, ei llais yn distewi mewn anobaith.

'Shwt?' holodd Penri'n syn, gan redeg ei fysedd yn wyllt drwy ei wallt.

'Dda'th Sharon ar 'i ôl i'r ysgol a gweud y cwbwl wrtho fe . . .'

'Ti 'di siarad ag e?' gofynnodd Penri.

'Ches i ddim cyfle. Fe redodd o 'ngolwg i. A nawr ma'i fag e 'di mynd o fan hyn a pheth o'i ddillad o'r wardrob.'

'Pryd?' holodd Penri'n llawn penbleth. 'Wy ga'tre ers awr 'da bachan sy'n codi'r llawr i ni . . .' dechreuodd ddweud.

'Shwt nest ti'm 'i glywed e?' gwaeddodd, gan fwrw'i llid at Penri, y person nesaf wrth law.

'Sa i'n gwbod. Achos y sŵn, siŵr o fod . . .'

'Ddylet ti fod wedi'i glywed e ac wedi'i stopo rhag mynd!' mynnodd Alys gan ddechrau curo Penri â'i ddyrnau drwy ei dagrau.

'A ti'n meddwl y bydde fe 'di gwrando arna i?' atebodd Penri, gan fachu'i ddyrnau a'i rhwystro rhag bwrw'i llid arno. 'Ballest ti wrando arna i, naddo fe? Wedes i ddigon y dyle fe fod wedi ca'l gwbod y cwbwl o'r dechre!' edliwiodd. 'Ond o't ti'n gwbod yn well, nag o't ti?'

'Paid, paid, Penri. Sdim pwynt.'

'Sdim pwynt codi paish . . . nag o's. Ddim â'r drwg wedi'i neud,' mynnodd, a'i lais yn galed.

'Ond crwt o'dd e, Penri. Dala i fod . . .' meddai Alys, mewn ymgais i berswadio Penri a hi ei hun iddi wneud y penderfyniad iawn.

'Crwt fydd e am byth os na geith e'r cyfle i dyfu a wynebu cyfrifoldeb! Alli di mo'i warchod e am byth!' meddai wrthi'n chwyrn.

'Plîs, paid dechre dannod! 'Nes i beth o'dd ore i Owain . . . ac iddi hi! Croten o'dd Eleri. O'dd hi'n rhy ifanc i fod yn fam!'

'O'dd hi'n rhy ifanc i farw hefyd!' meddai Penri'n greulon, wedi methu rhwystro'i hun rhag rhwbio halen i'r briw.

Yna, yn sydyn, teimlodd Penri law Alys yn taro'i foch. Symudodd ei law'n reddfol i geisio lleddfu'r boen.

'Beia fi am bopeth!' gwaeddodd Alys. 'Wy'n siŵr bod 'na'n neud i ti deimlo lot yn well. Anghofio bo ti'n rhy fishi ar y pryd yn rhywle arall!' meddai, gan godi hen grachen yn arf i'w hamddiffyn ei hun.

'Sdim angen codi 'na nawr!' mynnodd Penri'n dawel, yn dal i deimlo'r gwres yn llosgi ei foch. 'Owain sy'n bwysig nawr! Ma'n rhaid i ni ffindo fe. Ti 'di trio'i ffôn?' holodd, gan hoelio sylw'r ddau unwaith eto ar eu mab.

'Dyw e ddim yn ateb,' meddai Alys. 'Ne falle taw ddim yn f'ateb *i* mae e,' meddai'n chwerw.

Ymbalfalodd Penri yn ei boced am ei ffôn symudol. 'Beth am 'i ffrindie?' holodd. 'Wyt ti'n gwbod beth yw rhif Tracy?'

'Na . . .' atebodd Alys yn wan. Doedd hi ddim yn gwybod rhif Tracy. Doedd hi ddim wedi cwrdd â neb arall o'i ffrindiau. Doedd hi ddim hyd yn gwybod a oedd ganddo unrhyw ffrindiau heblaw am Tracy. Ac os oedd ganddo ffrindiau eraill, doedd ganddi ddim syniad sut i gysylltu â nhw.

Yna clywodd y ddau lais dieithr yn gweiddi enw Penri.

'*Found something,*' meddai Jeff. '*You need to call the cops!*'

159

23

Tra oedd Alys yn dal i geisio cysylltu ag Owain yn ogystal â chwilio'i stafell yn ofer am unrhyw gofnod o rifau ffôn ei ffrindiau, atebodd Penri'r drws i DS Davies a DS Charles. Holwyd pob un ohonyn nhw yn eu tro, gan ddechrau â Jeff oedd wedi darganfod esgyrn dynol mewn hen garped oedd wedi'i fwyta gan falwod a'i friwa gan leithder. Pan ofynnwyd i Penri pam ei fod wedi dewis codi'r llawr yn y lle cyntaf, roedd gorfod cyfaddef ei fod wedi gweithredu ar sail neges gan seicig (neu seicig honedig, yn ei eiriau e) yn dân ar ei groen, a phwysleisiodd fwy nag unwaith y byddai wedi codi'r llawr rywbryd p'run bynnag, er mwyn gweld a oedd yna leithder, gan eu bod nhw'n awyddus i osod llawr newydd. Digon pytiog oedd ei adroddiad o'r hyn roedd Nancy wedi'i ddweud.

Roedd Megan, ar y llaw arall, yn fwy na hapus i adrodd mewn manylder y negeseuon a drosglwyddwyd yn y gegin, gan ganu clodydd Nancy a'i doniau i'r cymylau. Oherwydd hynny, bu'n rhaid i'r heddlu fynd i holi Nancy hefyd. Yn y cyfamser, gofynnwyd i'r teulu fynd i bacio'u bagiau er mwyn symud o'r tŷ dros dro, tra bo'r swyddogion fforensig yn gwneud eu gwaith.

Un aelod o'r teulu yn unig oedd heb gael ei holi, sef Owain.

Eglurodd Alys drwy'i dagrau ei bod hi'n poeni ei fod ar goll, yn dilyn 'anghytundeb bach'. Rhoddwyd disgrifiad ohono i'r heddlu, a gytunodd i gadw llygad barcud amdano hyd strydoedd Caerdydd y noson honno.

*

'Sa i'n mynd 'nôl . . .' mynnodd Owain.

'Ows . . ?' dechreuodd Tracy ddweud.

'Ddim ar ôl beth nath Mam!' torrodd ar ei thraws. 'A fentra i bod Dad yn gwbod 'fyd. Falle bod Megan yn gwbod, hyd yn o'd. Falle bod pawb yn gwbod, heblaw amdana i!' meddai'n chwerw.

Rhoddodd Tracy ei llaw ar ei fraich am eiliad, cyn dweud ei bod am nôl diod siocled arall iddyn nhw'u dau. Beth roedd hi'n ceisio'i wneud mewn gwirionedd oedd rhoi cyfle i Owain gael ychydig funudau ar ei ben ei hun, i geisio dygymod â'r emosiynau cymhleth oedd yn amlwg yn ei rwygo.

Un funud roedd Owain yn teimlo'r dicter a'r casineb mwyaf at ei fam, a'r funud nesaf roedd e'n ceisio amgyffred beth roedd Eleri wedi bod drwyddo ar ei phen ei hun. Rhaid ei bod wedi teimlo mor unig ac ofnus pan sylweddolodd ei bod yn feichiog. Pe bai hi ond wedi ymddiried ynddo, yn hytrach na chadw'r wybodaeth oddi wrtho, meddyliodd. Pam wnaeth hi ddewis gwneud hynny? Doedd e ddim yn deall. Roedd hi'n naturiol ei bod wedi dweud wrth ei mam, er y gallai ddychmygu mor anodd oedd hynny, ond beth oedd yn anfaddeuol oedd bod ei mam hi wedi dweud wrth ei fam e, a hithau wedyn wedi cadw'r peth oddi wrtho! Syniad gwallgof pwy oedd hynny?

Roedd ganddo syniad go dda. Roedd ei fam, wrth gwrs, wedi cymryd rheolaeth o'r sefyllfa'n syth. Dyna'i harbenigedd, wedi'r cwbl – rheoli pawb a phopeth! Ac roedd ganddi gryn ddawn perswâd hefyd. Faint o bwysau roedd hi wedi'u rhoi ar Eleri i waredu'r babi tybed? Cryn dipyn, gallai fentro. Byddai hynny'n egluro pam roedd Eleri wedi cymryd cam mor fawr, ac yn amlwg wedi difaru a dechrau ei chasáu ei hun. Awgrymodd Sharon mai dyna pam roedd hi wedi dewis rhoi diwedd ar y cyfan. Ar ei fam roedd y bai, felly, fod Eleri wedi lladd ei hunan. Roedd ei fam yn gwbl ganolog i'r cawl potsh oedd wedi arwain at ddwy drychineb.

''Co ti,' meddai Tracy, pan ddychwelodd â dau fygaid llawn o siocled poeth at y ford.

'Diolch,' atebodd Owain. 'Alla i byth fadde iddi!' meddai Owain yn dawel. 'Mam!' meddai wedyn, rhag ofn i Tracy feddwl ei fod yn cyfeirio at Eleri.

'Ti wedi siarad â hi?' holodd Tracy mewn ennyd neu ddwy.

'Naddo!' atebodd yn bendant. 'A wna i ddim chwaith! Sa i'n moyn dim byd i neud â hi . . .'

'Os ti ddim wedi siarad â hi, falle bo ti ddim yn gwbod popeth . . .' meddai Tracy'n bwyllog ar ôl tynnu anadl hir.

'Fe wedodd Sharon bopeth wrtha i . . .'

''I hochor hi. Popeth o'dd *hi*'n moyn i ti wbod. O'dd hi'n *moyn* neud i ti ddiodde, fel o'dd hi wedi diodde,' esboniodd Tracy. 'O leia rho gyfle i dy fam,' meddai, gan fygu llais bach y tu mewn iddi oedd yn dal i'w hatgoffa nad oedd ei fam wedi rhoi fawr o gyfle iddi hi. Dewisodd anwybyddu'r llais bach hwnnw. '*Rise above it*,' meddai wrtho – un o'i hoff ddywediadau oedd wedi'i harbed rhag sawl ffrwgwd a ffrae.

Nid dyna roedd Owain am ei glywed.

'Wy'n nabod Mam!' atebodd yn ôl yn chwyrn. 'A ma' popeth wedodd Sharon yn neud sens. Wy'n deall nawr pam symudon ni ar hast i Ga'rdydd. A pham ro'dd Mam wedi bod yn ymddwyn mor od. Yn fwy od na phan ffindodd hi mas bod Dad yn ca'l affêr!'

Agorodd llygaid Tracy mewn syndod. Doedd Owain heb ddatgelu hynny wrthi – nid bod disgwyl iddo ddweud popeth wrthi, chwaith. Daliodd i barablu, heb sylwi ar aeliau Tracy'n codi.

'Nid ar ôl iddi ffindo mas am affêr Dad a Linda – y fenyw o'dd e'n arfer gwitho 'da hi – fynnodd hi bo ni'n symud i Ga'rdydd. Ond ar ôl i ni gladdu Eleri . . .' llyncodd. 'Dim ond ar ôl i Sharon godi stŵr yn y fynwent wedodd hi fod hi'n moyn symud. A nath Dad ildo'n rhy rwydd,' ychwanegodd. 'Gwerthu'r busnes jyst fel'na,' meddai, gan glician ei fysedd. 'Achos bod y ddou ohonyn nhw'n ofon beth wede Sharon wrtha i ac wrth bawb. O'n nhw'n euog. Yr euog a ffy, medden nhw? A fuodd rhaid i fi ffoi gyda nhw, er nad o'n i'n gwbod oddi wrth beth o'n i'n ffoi!' meddai'n gynnwrf i gyd. 'Sdim ryfedd bo Sharon yn 'y nghasáu i. A rhaid bo Eleri wedi 'nghasáu i 'fyd, pan o'dd hi'n meddwl bo fi'n gwbod am y babi ac wedi cadw draw, fel 'se dim

163

taten o ots 'da fi 'i bod hi mewn trwbwl. Ond bydde wedi bod ots 'da fi!' gwaeddodd, gan daro'r ford mor galed o'i flaen nes i ambell bâr o lygaid saethu i'w cyfeiriad.

'Stop hi, Ows. Paid neud hyn! Neu ni'n mynd i ga'l *kick out* o fan hyn!' ebychodd.

Edrychodd Owain arni fel pe na bai ddiawl o ots ganddo gael ei daflu o'na, nac o bob caffi yn y wlad. Dyna'r lleiaf o'i ofidiau.

Penderfynodd Tracy newid tacteg.

'*OK* . . . beth os bydde Eleri wedi ca'l y babi, fyddet ti'n dad nawr. Fyddet ti'n lico 'na? Fyddet ti'n gallu côpo? Fyddet ti'n gad'el yr ysgol? Beth fyddet ti'n neud?' holodd.

Ysgydwodd Owain ei ben mewn penbleth. Doedd ganddo ddim syniad beth fyddai wedi'i wneud. A'r gwir amdani oedd na fyddai byth yn gwybod, gan na chafodd y cyfle i benderfynu, am fod ei fam, ac efallai ei dad, hefyd, wedi gwneud hynny drosto! Dyna pam nad oedd am siarad gair â'r un ohonyn nhw byth eto, ac fe ddywedodd hynny unwaith yn rhagor wrth Tracy.

'O leia tecsta i weud bo ti'n *OK*,' meddai Tracy.

'Odw i?' holodd. 'Odw i'n ocê?' dechreuodd gynhyrfu eto.

'Os na ti'n mynd ga'tre, i ble wyt ti'n mynd?' holodd Tracy, gan nad oedd wedi crybwyll hynny o gwbl, er bod bag wrth ei draed.

Cododd Owain ei ysgwyddau. Doedd e ddim wedi meddwl am y peth yn iawn.

'Yn ddigon pell o fan hyn!' meddai.

'At dy fam-gu?' holodd Tracy'n betrus.

''Nôl at Mam-gu, fel fydde Megan yn neud? Sa i'n credu!' atebodd yn wawdlyd. 'Alla i ga'l lifft i Lunden,' meddai, gan wneud ymdrech i swnio'n fwy dewr nag roedd e'n teimlo. 'Whilo am hostel,' ychwanegodd.

'Llunden!'

'Neith neb 'yn ffindo i'n Llunden,' meddai, gan ddechrau hoffi'r syniad.

'Rhedeg bant, ife Ows?' holodd Tracy, gan ei watwar yn ôl.

Mewn amrantiad, roedd y cyffro a deimlai ar y dechrau yn prysur ddiflannu, ac roedd e'n suddo i ryw bydew diobaith unwaith eto.

'Ar ben dy hunan yn Llunden? Fydde fe ddim yn lot o sbort!' meddai Tracy wedyn yn garedicach.

'Dere 'da fi!' meddai Owain ar ei gyfer, gan wybod cyn iddo orffen ei frawddeg mai gwrthod a wnâi hi. Pam y dylai Tracy aberthu'i hysgol a'i haddysg, a'i theulu – y teulu oedd yn swnio fel y teulu agosaf yn y byd, o'i gymharu â'i deulu rhanedig, dienaid e – er mwyn bod yn gwmni iddo?

Fel roedd wedi ei rag-weld, ysgydwodd Tracy'i phen. Suddodd Owain ei lygaid i waelodion ei fygaid o siocled. Oedd e am fentro i Lundain ar ei ben ei hun neu beidio, pendronodd. Ond ddim am hir.

'Credu bo 'da fi well syniad,' meddai Tracy, pan gododd Owain ei lygaid i'w hwynebu o'r diwedd.

'Wy ddim yn mynd ga'tre!' mynnodd Owain yn bendant, cyn iddi geisio'i berswadio'n ofer unwaith eto.

'Wy'n gwbod!' atebodd, wedi derbyn hynny bellach.
'Dere!' meddai wrtho, gan ei arwain o'r caffi clyd.

*

'Dim ond soffa sy' i ga'l, *OK*?' meddai Tracy, gan
dynnu sylw Owain at y soffa fawr, feddal, yng nghornel
y lolfa, o flaen y teledu plasma anferth oedd yn llenwi
hanner y stafell fach.

Nodiodd Owain. 'Grêt,' meddai'n ddiolchgar.

'Fydd swper yn barod mewn muned . . . Sbag bol?'
holodd.

'Ffantastig,' atebodd Owain, heb fod yn rhy siŵr a
fedrai fwyta'r un gegaid â'i stumog yn dal i droi wedi'r
oriau cythryblus aeth heibio. Ond roedd am drio'i orau
glas i fwyta'i swper, rhag ymddangos yn anniolchgar.
'Diolch,' meddai unwaith eto, yn dal i ryfeddu at
garedigrwydd Tracy a'r teulu – oedd mor barod eu
croeso, er nad oedd neb heblaw Tracy wedi'i gyfarfod
o'r blaen.

'Ti'n siŵr so ti'n moyn ffôno ga'tre i weud bo
ti'n iawn?' holodd Tracy unwaith eto. 'Fyddan nhw'n
becso . . .'

Ysgydwodd Owain ei ben mor bendant ag erioed.

*

'Wy ddim yn symud nes bo ni'n ca'l gaf'el yn Owain!'
mynnodd Alys, er bod yr heddlu'n awyddus iawn i gael
pawb o'r tŷ.

166

'Ma' Owain yn iawn, Mam. Wy'n gwbod bod e!' mynnodd Megan.

'Shwt alli di wbod?' brathodd ei mam yn ôl, cyn difaru bod mor galed ar Megan, oedd ond yn trio helpu.

'Wy'n gwbod mwy na ti'n feddwl,' meddai Megan yn dawel, yn ofalus i beidio â dweud gormod, chwaith, am nad oedd hi'n barod i rannu'i chyfrinach â'i mam na neb, tan y byddai hi'n fwy cyffyrddus â'r teimladau newydd, digon rhyfedd roedd hi wedi dechrau'u cael ers symud i rif 45.

'Beth wyt ti'n wbod?' holodd Alys, gan neidio ar ei thraed a gafael yn ysgwyddau Megan.

'Hei, Alys, pwylla, be sy'n bod arnat ti?' gwaeddodd Penri.

'Os ti'n gwbod rhwbeth am Owain, ma' rhaid i ti weud,' mynnodd Alys.

'Wy'n credu bod e gyda Tracy,' meddai.

'Ti'n gwbod ble ma' hi'n byw?' holodd Penri.

Meddyliodd Megan am funud . . .

'Grangetown, rwle . . .' atebodd, gan godi ei ysgwyddau.

'Tracy beth yw hi? Ma' rhaid i ni weud wrth yr heddlu – 'u hala nhw draw 'na,' meddai Alys yn wyllt.

'Na, sa i'n credu,' atebodd Megan yn bendant. 'Ddim os na ti'n moyn neud pethe'n wa'th!'

'Ond so ti'n gwbod yn iawn ble ma' fe, wyt ti? Dim ond dyfalu wyt ti! Beth os wyt ti'n rong a bod e'n gorwedd yn y gwter yn rhwle?' meddai Alys yn felodramatig unwaith eto.

Gollyngodd Megan ochenaid fach ddiamynedd.

Roedd hi wedi trio helpu. Nid ei bai hi oedd e bod ei mam yn gymaint o sinig, oedd yn mynnu ymateb yn hysterig i bopeth.

'Ni gyd yn becso, Alys. Ond ma' rhaid i ni fynd nawr,' meddai Penri. 'Ma' bois y fforensig ar 'u ffordd. Ma' nhw 'ma,' gwaeddodd ar ei union, pan glywodd gnoc ar y drws, a rhuthro i'w ateb.

'Nancy,' meddai'n syn, pan welodd y bwten fach, oedrannus yn sefyll ar y rhiniog.

'*Sorry to disturb 'u, like, but I've got a bit of news . . .*' meddai dan wenu. '*And how are 'u?*' gofynnodd i Alys, pan welodd yr olwg ofidus ar ei hwyneb.

Prin y gallai Alys edrych arni, heb sôn am ei hateb wedi'r ffrae y bore hwnnw a hithau fwy neu lai wedi'i thaflu o'r tŷ. Ac roedd gwybod bod Nancy wedi bod yn ceisio'i rhybuddio a hithau wedi dewis ei hanwybyddu, yn gwneud iddi deimlo'n saith gwaeth.

Synhwyrodd Nancy ei hanghysur.

'*It's good news!*' meddai. '*Owain is at our Tracy's!*'

Llifodd ton o ryddhad dros Penri wrth sylweddoli bod Owain yn ddiogel, o leiaf am y noson honno. Gwenodd Megan ar ei mam. Dylai fod wedi gwrando arni. Roedd hi'n fwy na hapus i gael cadarnhad bod ei greddf yn agos i'w lle. Ond er bod newydd da wedi'i drosglwyddo gan Nancy, roedd Alys yn dal yn anfodlon, ac roedd gwybod ei bod yn well gan Owain aros ar aelwyd Tracy na dychwelyd i'r aelwyd atyn nhw, yn siom enbyd iddi.

'*Thought you'd like to know soon as possible*, like,'

meddai Nancy, gan droi am y drws, wedi hen synhwyro nad oedd yna fawr o groeso iddi yno o hyd.

'*Thank you,*' atebodd Penri. '*We'll go and fetch him if you'll give us the address.*'

'*Best not to do that,*' meddai wedyn. '*He's stoppin' the night. You're welcome to come to mine, if you don' fancy a hotel, like . . ?*' cynigiodd.

Dechreuodd y dagrau lifo hyd bochau Alys.

'*He's our son . . .*' meddai Alys. '*He needs us!*' plediodd.

'*Not tonight, eh? Best 'u gives him some space,*' meddai. '*The worst is over now. Promise!*' cysurodd, gan edrych i fyw llygaid Alys, cyn camu fel cysgod i'r nos.

Gadawodd Alys i'w dagrau lifo'n rhydd. Am y tro cyntaf ers cyn cof, gadawodd i Penri roi ei fraich amdani i'w chysuro.

'Dere . . . mae'n bryd i ni fynd,' meddai wrthi, cyn amneidio ar Megan i ddilyn.

Cydiodd hithau yn y bag nos oedd wrth ei thraed. Roedd hi'n ddigon hapus i gamu dros drothwy'r tŷ oedd yn fwy digysur nag erioed, a llawr y gegin wedi hanner ei godi.

24

Brwydrodd Owain drwy ddiwrnod arall yn yr ysgol, wedi chwyldro'r diwrnod cynt a noson anesmwyth ar soffa teulu Tracy, ond doedd e ddim yn cwyno. Eglurodd Megan wrtho'n ystod y dydd fod ei deulu mewn gwesty yn y dre, tra bo'r swyddogion fforensig yn archwilio'r hen selar dan y tŷ.

'Fi'n gweld ishe ti,' meddai Megan. 'Pam na ddei di'n ôl?' holodd, er bod ganddi syniad go dda pam roedd Owain yn amharod i wneud hynny.

'Beth ma' Mam 'di gweud wrthot i?' holodd yn chwilfrydig.

'Bod Sharon 'di d'ypseto di.'

Typical! Dyna'i fam i'r dim. Hanner y gwir eto, a'r hanner oedd wedi'i gelu yn cuddio'i ei rhan hi yn yr holl fusnes diflas. Ysgydwodd ei ben mewn anobaith.

'O's neges?' holodd Megan, yn teimlo fel rhyw gennad heddwch rhwng dwy garfan oedd mewn rhyfel â'i gilydd.

'Dim gair,' meddai Owain. 'Carca dy hunan, Megan,' rhybuddiodd. 'A paid becso amdana i. Wy'n iawn!'

'O's arian 'da ti?' holodd Megan wedyn, fel pe bai ganddi hi filoedd.

Gwenodd Owain. 'Wy'n mynd i ffindo jobyn,' meddai. 'Talu Tracy 'nôl. A'i theulu. Ma' nhw 'di bod yn dda i fi.'

'Ond galli di ddim aros 'da nhw am byth, alli di?'
holodd Megan yn bryderus.

Cododd ei ysgwyddau'n ddi-hid. Doedd e ddim wedi
meddwl mor bell ymlaen â hynny. Digon i'r diwrnod
oedd hi ar hyn o bryd.

Gwenodd Megan arno, yn falch fod Owain yn
ddiogel, ac er gwaetha'i flinder, yn fwy fel y brawd
oedd e'n arfer bod cyn i bethau ddechrau mynd o
chwith.

*

Ddiwedd y dydd, cerddai Owain at y bws gyda Tracy,
pan glywodd lais y tu ôl iddo.

'Owain!'

Ei fam oedd yno. Cerddodd yn ei flaen gan geisio'i
hanwybyddu, ei lygaid wedi'u hoelio ar risiau'r bws.

'Alli di ddim ignoro hi!' meddai Tracy.

'Watsha fi!'

'Jest siarad â hi. Galli di ddod 'nôl i'n tŷ ni wedyn!'
mynnodd, gan ddefnyddio'i braich dde i drio'i wthio i
wynebu'i fam.

Dringodd Tracy ar y bws, gan adael Owain yno.

'Plîs . . . dere i'r car!' erfyniodd ei fam arno. 'Allwn
ni ddim gad'el pethe fel hyn!'

Cyfrodd Owain i ddeg cyn ildio a dilyn.

Yn y sedd gefn roedd Megan, a wenodd yn braf pan
welodd ei fod wedi cytuno â chais ei fam ac wedi dod
i'r car atyn nhw.

'Ewn ni 'nôl i'r gwesty . . . i siarad,' meddai Alys.

'Sa i'n dishgwl i ti sefyll 'na, ddim os nag wyt ti'n moyn . . .' eglurodd yn gyflym, rhag ofn i Owain ddianc oddi wrthi unwaith eto.

Plethodd yntau'i freichiau ac eistedd mewn tawelwch bob cam o'r ffordd i'r gwesty.

'Licet ti, Megan, fynd i'r pwll?' holodd Alys yn ddiplomatig, wrth iddyn nhw gyrraedd eu stafelloedd.

'Grêt!' atebodd, gan adael Alys ac Owain ar eu pennau eu hunain i siarad.

'Alla i ddychmygu beth ti'n feddwl ohona i . . .' dechreuodd Alys ddweud yn araf.

Gadawodd Owain iddi chwysu wrth geisio egluro'r sefyllfa.

'O'dd e'n gyment o sioc . . . clywed Sharon yn gweud bod Eleri'n disgwyl a hynny ers bron i bedwar mis!' meddai'n ddagreuol.

'Pam na wedest ti wrtha i?' holodd Owain, wedi methu cadw'n dawel eiliad yn rhagor. 'O'dd 'da fi hawl i ga'l gwbod!' meddai'n daer.

'Wy'n sylweddoli 'na nawr. Ond ar y pryd, 'na i gyd o'dd ar 'yn meddwl i o'dd ti'n ca'l dy glymu wrth blentyn. Do'dd dim sbel ers o't ti'n blentyn dy hunan!'

'*O'n* i . . . amser gorffennol, Mam. Ddim plentyn o'n i pan ddigwyddodd e. Ond fel plentyn nest ti 'nhrafod i. A beth am Eleri? O'dd jawl o ots 'da ti am 'i theimlade hi!'

'Ti'n meddwl fydde fe 'di bo'n rhwydd iddi hi fagu babi yn un ar bymtheg o'd?'

'Ddim hi fydde'r gynta . . .' Gwingai Alys wrth i Owain ddadlau'n ôl. 'Ddim ishe sgandal o't ti. 'Na'r gwir, ontefe? 'Se Eleri'n ca'l babi, fydde bysedd pawb yn pwynto ato i. A fyddet ti'n ffaelu godde 'na. Wy'n iawn, nag wy?'

Roedd Alys yn ei dagrau erbyn hyn ond doedd Owain yn meddalu dim.

'O'dd Sharon, hefyd, yn meddwl bo ni'n neud y peth iawn,' meddai, yn awyddus i rannu'r cyfrifoldeb. 'A nath Eleri ddim gwrthwynebu pan gyniges i drefnu pethe drosti.'

'A'r cwbwl tu ôl i nghefen i!' meddai Owain, ei lais yn galed.

'O'dd Eleri ddim yn moyn i ti wbod,' eglurodd Alys.

'Shwt ti'n disghwl i fi gredu 'na?' Shwt ti'n disghwl i fi gredu unrhyw beth ti'n weud ragor?' holodd Owain yn ddig.

'Wy'n gweud y gwir!' plediodd Alys.

Ysgydwodd ei ben.

'Haws 'da fi gredu taw ti stopodd hi i weud wrtha i, o dy nabod di!'

'Ti'n rong, Owain!' meddai. 'O't ti newydd fynd 'da'r ferch arall 'na, ac o'dd hi'n grac 'da ti. O'dd e'r un pryd ag y sylweddolodd hi bod hi'n dishgwl. O'dd hi'n rhwyddach dy gadw di mas o'r busnes,' meddai Alys.

'Wedodd Sharon taw dy syniad di o'dd e.'

''Yn syniad i o'dd mynd yn breifet,' atebodd yn bwyllog. ''Na'r ffordd rwydda . . . mor hwyr yn y beichiogrwydd. O'dd Eleri'n moyn i bethe fynd 'nôl fel o'n nhw. A dim ond wrth fwrw mlân 'da'r erthyliad y galle 'ny ddigwydd,' rhesymegodd.

'A ti'n gweud ei bod hi'n hapus i "fwrw mlân"?'

Nodiodd Alys ei phen, ond heb ormod o argyhoeddiad chwaith.

'Shwt alle hi fod hapus, os o'dd well 'da hi grogi wrth raff na chario mlân i fyw!' poerodd Owain yn ôl.

'Falle nath hi ddifaru wedyn, sa i'n gwbod . . .' meddai Alys yn gloff. 'Fyddwn ni byth yn gwbod!' mynnodd. 'Fyddwn ni wastad yn gofyn i'n hunen os o'dd rhwbeth allen ni fod wedi neud. Os o'dd 'da fe rwbeth i neud â ni . . . Nid dim ond ti sy 'di colli cwsg dros hyn. Ond sdim byd allwn ni newid nawr. Dim ond cario mlân gore gallwn ni!'

Roedd pen Owain yn troi gan bopeth roedd wedi'i glywed.

'Tase ti ond wedi gweud . . .' meddai o'r diwedd.

'Wy'n gwbod 'na nawr,' ailadroddodd Alys, 'a 'sen i'n gallu troi'r cloc 'nôl fe fydden i wedi gneud. Ond alla i ddim. 'Na i gyd o'n i'n trio'i neud o'dd d'amddiffyn di . . . yn enwedig gan fod Eleri wedi cwpla 'da ti . . .'

'O achos beth nes i . . .'

'Achos bo ti'n ifanc. Sy'n profi 'mhwynt i. O't ti'n rhy ifanc, y ddou 'noch chi, o'ch chi'n rhy anaeddfed!' mynnodd, gan gythruddo Owain fwyfwy.

'O't ti ddim hyd yn o'd yn moyn gweud wrtho i pam symudon ni i Ga'rdydd,' edliwiodd.

'Ffaelu gweud o'n i. Unwaith fydden i'n dechre . . . ble o'n i'n mynd i stopo?' holodd, yn llipa a difywyd, fel un wedi'i llethu. ''Na i gyd o'n i'n gallu trio 'i neud o'dd rhoi dechre newydd i ni gyd, fel teulu,' mynnodd.

'Dechre newydd?' holodd. 'Diwedd, ti'n feddwl!' wfftiodd.

'Owain, plîs,' meddai Alys, wrth ei weld yn codi'n wyllt oddi ar y gwely lle bu'n eistedd. 'Madde i fi . . . plîs, Owain, plîs. 'Nes i'r cwbwl er dy fwyn di . . .' crefodd.

'Alla i ddim madde i ti! Alla i ddim dy drysto di. Wy ddim hyd yn o'd yn siŵr os wy'n dy gredu di nawr hyd yn o'd!' meddai, gan wybod ei fod yn torri calon ei fam yn llwyr, ond dyna'n union beth roedd e'n ceisio'i wneud y funud honno.

'Owain, plîs, wy'n erfyn arnot ti!'

Ond doedd Owain ddim yn gwrando. Roedd e'n cerdded oddi wrthi am y drws, a hynny ar ras.

'Alli di'm aros 'da Tracy am byth,' gwaeddodd Alys. ''Da ni wyt ti i fod . . . 'Da dy deulu, ti'n clywed?' gwaeddodd ei fam ar ei ôl.

Ond roedd Owain wedi mynd, gan gau'r drws â chlep galed, oedd yn dal i atseinio yng nghlustiau'r ddau.

*

Cerddodd Owain gynted ag y gallai o'r gwesty i gyfeiriad Grangetown, a'r sgwrs a fu rhyngddo a'i fam yn troelli yn ei ben. Doedd Eleri ddim am iddo wbod am y babi . . . Roedd hi'n grac gydag e . . . Yn uffernol o grac am ei fod wedi'i thwyllo, ar yr union adeg roedd hi'n cario ei blentyn!

Heb os, barnodd Owain fod ganddo ddigon o reswm dros deimlo'n euog. Yn ddiawledig o euog. Damiodd a

175

damiodd, nid yn unig dwpdra'i fam, ond ei dwpdra'i hun, hefyd. O'i gwmpas roedd gwynt oer yn brathu ac yn blingo. Ac yn ei glustiau, clywai afon Taf yn llifo'n gyflym dan y bont i'r Bae.

Camodd drwy'r tywyllwch i'r un cyfeiriad . . .

25

Safai rhif 45 yn oer a digysur yn awyr lwyd y bore. Bu tâp glas a gwyn yn addurno'r gatiau blaen am ddyddiau, wrth i'r tîm fforensig wneud ei waith yn y tŷ.

Ymhen yr wythnos, sefydlodd ymchwiliad yr heddlu fod yna David Davies wedi bod yn berchennog ar y tŷ ar ddechrau'r ugeinfed ganrif. Roedd yn gweithio yn y diwydiant llongau, ac wedi'i gyflogi gan gwmni Radcliffe. Enw ei wraig oedd Lydia.

'Nawr chi'n credu bod Nancy'n gallu gweld a siarad ag ysbrydion?' holodd Megan i'w rhieni.

'Wel, os o'dd hi 'di byw yn y stryd cyhyd ag o'dd Tracy'n gweud 'i bod hi . . . falle bod hi'n gwbod yr hanes . . .' pryfociodd ei thad.

'Ac aros nes bo'i nawr cyn gweud dim byd!' meddai Megan yn anghrediniol. 'Fe weles i nhw 'fyd, chi'n gwbod!' mynnodd, yn teimlo ei bod am rannu ei chyfrinach wedi'r cwbl. 'Nage dim ond David Davies weles i yn y gegin ganol pan godes i yn y nos, ond fe weles i Lydia a Sarah hefyd pan nath Nancy 'u denu nhw ati, er mwyn 'u helpu nhw i groesi,' eglurodd. 'Wedes i ddim celwydd er mwyn gad'el y tŷ!' mynnodd yn daer.

'Ocê, wy'n dy gredu di,' meddai ei thad, gan wincio.

'Ond neith pawb ddim,' meddai'n fwy dwys ryw eiliad yn ddiweddarach, gan daro ochr ei drwyn.

Deallodd Megan yr awgrym. Roedd e'n daer am iddi gau ei cheg am ei gallu seicig er mwyn gwneud bywyd yn haws iddi hi ei hun a'i theulu!

'Reit, ody popeth 'da ni?' holodd Penri, cyn tynnu drws rhif 45 ato a'i gloi.

Er i'r heddlu roi caniatâd iddyn nhw symud yn ôl i mewn i'r tŷ ar ôl rhyw wythnos gan fod eu hymchwiliadau wedi dod i ben, yn rhyfedd iawn, doedd yr un ohonyn nhw'n awyddus i aros yno – ddim tan y byddai'r tŷ wedi'i atgyweirio'n llwyr. Doedd aros mewn gwesty yn hwy nag wythnos ddim yn ddewis, chwaith, gan ei fod mor ddrud. Felly roedd Penri, drwy ei gysylltiadau yn y byd tai, wedi dod o hyd i dŷ gwag ar rent. Doedd e ddim yn dŷ mawr ond roedd e'n ddigon, ac fe wnâi'r tro'n iawn tan y byddai rhif 45 wedi'i adnewyddu. Wedyn fe allen nhw benderfynu a oedden nhw am symud yn ôl yno neu werthu a symud ymlaen.

'Wyt ti 'di anghofio rhwbeth?' holodd ei mam, wrth weld Megan yn taflu cip sydyn ar y tŷ.

Ysgydwodd Megan ei phen ac anelu am y car. Teimlai yn ei chalon mai ffarwelio â'r tŷ dros dro roedden nhw'n ei wneud. Gallai deimlo fod y tŷ'n dawel erbyn hyn, gan fod corff David Davies wedi'i roi i orffwys.

Fel roedd hi'n rhoi cês yn ddiogel yn y cefn, gwelodd bwten fach oedrannus yn brasgamu i lawr y ffordd tuag ati, â thun crwn yn ei dwylo.

'Nancy!' gwaeddodd Megan.

'*Coudn' let 'u go without a cake to keep you goin', like!*' meddai. '*An' I can't wait to 'ave you back here. You an' I 'ave a lot of work to do, Megan. Not here, mind. This house is at peace now. You knows that don' 'u? There'll be no bother now, however many walls you'll knock down,*' meddai, gan daflu cip ar Penri. '*But there'll be other houses a plenty, like . . .*' meddai'n frwd, gan wincio ar Megan.

Rholiodd Penri'i lygaid a thaflu cip amheus ar Alys, ond gwenodd hithau'n garedig ar Nancy.

'*Thank you for the cake. And for everything,*' diolchodd yn gynnes.

'*You're welcome,*' atebodd. '*Don' 'u worry about Owain. Tracy will take good care of 'im and you knows what they say, time's a good healer,*' meddai. '*All the best then. Keep in touch, like!*' meddai, gan wincio ar Megan unwaith eto.

'Gweld chi cyn hir!' meddai Megan, gan ei herio i siarad Cymraeg.

Oedodd Nancy am eiliad, cyn nodio, yn derbyn fod Megan yn ysu i ddysgu ambell beth iddi hithau hefyd.

'*You'll 'ave me speakin' Welsh in no time,*' chwarddodd fymryn yn sinigaidd, cyn ychwanegu dan ei hanadl, rhag i Penri ac Alys glywed, '*but not as soon as I'll introduce you to your spirit guide!*' sibrydodd.

Ond roedd Penri wedi clywed, ac wedi gwgu arni.

'*Right, cheers, Nancy. Take care!*' meddai wedyn, gan ysgwyd llaw â hi'n ddiplomatig.

179

'*Love an' light!*' gwaeddodd Nancy ar ôl y tri, dan chwifio'i llaw wrth iddyn nhw gamu i'r car.

Cychwynnodd y Range Rover dan chwyrnu a thorri ar draws tawelwch y stryd. Cododd y tri eu dwylo ar Nancy, cyn taflu un cip olaf ar y tŷ am y tro, o leiaf.

'Fe ddaw Owain 'nôl aton ni, chi'n gwbod,' meddai Megan, yn llawn doethineb wrth i'r car gychwyn ar ei daith.

'Ti'n meddwl?' holodd Alys yn amheus.

'Wy'n gwbod,' mynnodd Megan.

Gwenodd Alys arni, yn fwy parod i wrando erbyn hyn.

26

Dair wythnos yn ddiweddarach cerddai Owain a Tracy law yn llaw i lawr i gyfeiriad y Bae o Grangetown ar fore Sadwrn. Wrth basio tŷ pen rhes o frics coch, wedi'i godi yn y tridegau, a dwy ffenest fwa yn addurno'i du blaen, oedodd Owain.

'Hwnna ma' nhw'n rhentu?' holodd Tracy.

''Na beth wedodd Megan. Nes bod rhif 45 yn ca'l 'i adnewyddu.'

'Call iawn,' meddai Tracy. 'Cyfleus 'fyd. Ti'n moyn galw?' gofynnodd.

Ysgydwodd Owain ei ben.

'*OK*, ddim heddi, ond cyn bo hir, falle . . ?' awgrymodd Tracy'n obeithiol, gan wasgu ei fraich.

'Ti'n trial ca'l 'y ngwared i?' cellweiriodd Owain. 'Odw i'n niwsans ar y soffa?'

'*As if*!' meddai Tracy, gan wasgu'n dynnach a gwenu'n chwareus.

Gwenodd Owain yn ôl, yn dawelach ei ysbryd nag roedd wedi bod ers amser. O'r diwedd, diolch i Tracy, roedd e'n dechrau teimlo'n hapus unwaith eto, yn wirioneddol hapus am y tro cyntaf ers cyn cof.